文字世界で読む文明論

比較人類史七つの視点

鈴木 董

講談社現代新書

2578

プロローグ　文明が成熟するために

風雲急な二一世紀の始まり

二つの世界大戦を経験し、東西冷戦が続いた二〇世紀も、その最末期になって、ソ連邦が崩壊し冷戦も終結して、もはや激しい対立も戦争もない「歴史の終焉」を迎える、とさえいわれた。

しかし、それどころではない。ソ連邦崩壊から一世代、三〇年もたたない二〇二〇年には、まったく想定外の危機が地球を襲った。新型コロナ・ウイルスのパンデミック化である。

それは、二一世紀中葉からの覇権国家の最有力候補、中華人民共和国から発したとされ、冷戦終結後、少なくとも一時は唯一の覇権国家とみなされさえしたアメリカ合衆国に及び、あっという間に米国がパンデミックで最多の感染者と死者を出してしまった。二〇世紀後半以来、人類文明の最先端たることを誇った米国の文明も、想定外の事態には驚くほど無防備であることが露呈したのである。

そして全世界的にみると、中国の一地方都市に発したとみられる新感染症が、数ヵ月のうちに全世界に拡がり、一九二九年の「大恐慌」に匹敵するかもしれない経済危機をもたらした。地球上の全人類社会を唯一のグローバル・システムへと統合していくグローバリゼーションが急速に進展したのはよいが、それによってかえって、パンデミックがごく短期間に全世界を巻き込むこととなってしまったのである。人類の文明は、もう行き止まりかといわれるほどに発達しているかに見えていたが、「想定外」のことはまだまだ無数にあり、守りには意外に弱く脆いことが明らかとなった。

考えるに、今日までの人類の文明は、もっぱら前進のみをめざす「行け行けドンドン」の文明で、具合の悪い事態が生じうることにはほとんど注意を払ってこなかったところから来ているのではあるまいか。今こそ、しゃにむに前進するだけでなく、「想定外」の事態にも意を用い、前進から生ずるマイナスに対してのフィードバックのシステムを構築していくことにこそ、力を注ぐべきなのではあるまいか。

政治社会面でも共産主義を掲げる独裁が過去のものとなり、民主主義が世界中に拡がるだろうと期待された。ところが、ここでも、事態はそううまくは運ばなかった。たしかに、経済的自由主義に基づく資本主義は、もとは共産主義を掲げたソ連であったロシア連邦だけでなく、看板としては共産主義を掲げ、あいかわらず共産党独裁を固持する中華人民共和国にすら浸透しつつある。

しかし、東西両陣営のにらみ合いのなかで、むしろ抑制されてきた戦争の方は、湾岸戦争、アフガニスタン戦争、そしてイラク戦争と、宣戦布告を伴わない事実上の武力行使として、むしろ頻発しつつある。

民主主義についても、共産党独裁が崩壊した諸国の多くに、うまく定着していないばかりか、冷戦の間、民主主義体制を売り物としてきた、いわゆる先進諸国においても、その揺らぎが懸念されるようになっている。それが、我が日本では「民主主義の危機」、欧米では「デモクラシーが生き延びうるか」といった論調が現れる原因となっている。

「民主主義」と「民主政」

よく知られている通り、デモクラシーの語の起源は、はるか昔のギリシア語のデモスクラティアである。この言葉は、「デモス」すなわち「民衆」による「クラティア」すなわち「支配」ということを意味する。つまり「民主『政体』」である。これは三つの基本的政体のうちの一つとされ、他の二つは、「王政」と「貴族政」である。「王政」の変種は「僭主政（せんしゅせい）」であり、いずれもただ一人が支配する政体を意味している。一方の「貴族政」は、ごく限られた人びとの支配を意味し、その変種は「寡頭政」である。これに対し、

「民主政」は、堕落すると「衆愚政治」となるとされていた。

いずれにせよ、政体とは「みんなのこと」を一人が決めるのか、ごく少数者が決めるのか、みんなで決めるのかという、難しくいえば、「政策決定」のあり方を示す言葉なのである。となれば、デモクラシーも金科玉条のイデオロギーの香りを帯びる文化的な「民主主義」とはちがって、人びとの暮らしをより良くしようという実際的な営みにかかわるものといえるであろう。

たしかに、「王政」や「独裁政治」のような一人支配は、「一人」の支配者が「哲人」であれば、理想の政治をおこないえようが、自称「哲人」、自称「唯一のあるべき指導者」は、しばしば「狂信者」でありうる。「世界最優秀民族ドイツ民族の唯一の指導者、ヒューラー」を称したヒトラーは、その典型である。ごく限られた人びとの支配する「貴族政」「寡頭政」は、みんなのことはそっちのけにして、自分たちの利害にしがみつく悪政となる公算が大きい。「村のボス政治」などがそうであろう。

これに対し、「みんなで支配する」デモクラシーは、少なくとも、多くの人が是とする方向でものごとを決めうる。現代において、民主政デモクラシーが最良の政治とされるのは、このためである。たしかに、人びとの暮らしをより良くしていくための営為としての文明に、最もかないそうな政体なのである。

フィードバックという機能

民主政デモクラシーには、政治的指導者が誤った方向、危ない方向に行きそうなときに、議会を通じて、あるいは選挙を通じて、さもなくば「世論」を通じて「歯止め」をかける作用、フィードバックの機能も期待できる。

米国が泥沼の宣戦布告なき戦争、ヴェトナム戦争から脱けだしえたのは、この民主政のフィードバック機能が遅まきながら作動したためであった。そして、戦前の大日本帝国が満洲事変後、日中戦争、太平洋戦争へと突っ込んでいったのは、戦前期昭和の議会が制度的欠陥もあって、うまくフィードバック機能を果たしえなかったことが大きいのである。

現代において、格差が拡大していくなかで、「みんなの利益」が実現されていないと不満をもつ人びとが増大している。それに迎合して、今日一般に「ポピュリズム」と呼ばれるようになった動きが台頭し、過大な期待、誤った期待をもたせて権力を握ろうとするデマゴーグ扇動家が出現しつつある。

そのようななかで、デモクラシーがもっていた、「みんなのこと」を決めるときの行き過ぎをおさえるブレーキとしてのフィードバックの機能も働きにくくなっている。本来の主張を曲げてまで、トランプ大統領に追従する共和党上下両院の議員たちのふるまいは、その証左であろう。

「みんなのことはみんなで決める」政体としてのデモクラシー民主政、そしてそれを良しとして支える理念、イデオロギーとしての「民主主義」は、人類がその文明と文化を育んできた、長い歴史の過程のなかで生み出されてきたものである。チャーチルが言う「民主主義は最悪の政治といえる。これまで試みられてきた、民主主義以外の全ての政治体制を除けばだが」である。

そして、とりわけ「行け行けドンドン」で前進にのみ励みがちで、そこに生ずる弊害を省みることの少なかった人類の「文明」において、このデモクラシーが実質的にフィードバックの機能をも備えたものとして成立したことは、画期的な意味をもちうるであろう。

このような視点を踏まえながら、本書ではさらに広く、人類の文明と文化について、根本から考え直してみたいと思うのである。

格差と差別と——資本主義の暴走

東西冷戦終結後の「歴史の終焉」で、民主主義と自由主義の時代が到来することが期待された。自由主義というとき、政治的・思想的「自由主義リベラリズム」のみを指すのではなく、自由市場主義に基づく、我々日本人の呼ぶ資本主義的自由市場制も想定されていたことであろう。たしかに、共産党の一党独裁体制下にある唯一の大国となった中華人民共和国も、共産党の看板は外さないものの、市場経済体制を受容し、共産主義体制下の「資本主義経済」化を推進しはじめた。そして株式会社まで認めて、中国発の株式会社が、株式時価総額の世界ランキングのトップ10に並ぶに至っている。

「資本主義」批判の大家マルクスは、欧米でいうキャピタリズムをあくまで、経済のシステムの一つととらえていた。実際に経済とは、「モノとサーヴィスの生産と流通」にかかわる人間の活動であり、実質的な暮らしの維持と向上にかかわるはずのもので、人類の文明の一翼をなす。そしてこの、いわゆる資本主義の経済システムは、たしかに能率よくモノを生産し、サーヴィスを生み出し、世界大に流通を拡大して、人類の文明の進展に寄与するところも大ではあった。しかし、この経済システムは、資本つまりは「元手」が、利潤つまりは「もうけ」を生み出しつつ、放っておけば無制限に拡大していく性格を有している。資本のもたらす利潤の取り分をめぐって、大もうけをする人びとと、労働の対価として、生きていくのにかつかつの報酬しか得られない人に分かれ、社会経済的格差を生み出しつづけることとなったのである。

近年、「利益配分」がますます大もうけをする人に偏り、労働して対価を受け取るふつうの「労働者」の取り分の割合が少なくなっている。これは、近代文明の悪弊である「行け行けドンドン」主義が先行してしまって、文明のもう一つの大切な機能であるフィードバックが有効に働かなくなっている証左である。

かつて、近代資本主義社会が発展する過程では、労働者の待遇改善を求める労働運動が起こり、資本家側も個々の労働者をあまり使いつぶしてしまうのは得策ではないと気づき、社会政策なるものが生まれた。格差はなくならないものの、労働者の待遇も徐々に改善し、資本家にとって労働者はモノを買ってもらうお客様にさえなっていった。

日本の場合も、「戦後改革」のおかげで、労働者の待遇が良くなり、内需が拡大した。経済規模も、一時は米国に追いすがるほどになり、国内的には「一億総中産階級」を豪語するほどになった。

しかし、その後、欧米でも日本でも、格差がふたたび拡大しはじめ、富裕層と低所得者層との間の「中間層」が解体し、低所得者層が増大しつつあるという。そして欧米では、このような状況が、「没落しつつある人びと」の不満を高め、その一部がポピュリズムに流れて、「デモクラシー」の危機さえも招きつつあるのである。

二〇二〇年に入ると、新型コロナ・ウイルスなるものが蔓延しはじめ、西欧圏の先進国の一つであるはずのイタリアで感染者が激増し、異例の致死率を示したのは、財政困難のため医療費を削減しすぎた結果であろうといわれた。これもコストカットによる「行け行けドンドン」の失敗例である。想定が甘く備えもまったく不十分だったことが重大な結果を生んだ。未来を見つめたフィードバックが働かなかったのである。

文明成熟のためのキーワード

近年、人類文明の未来についてさまざまの悲観論が生まれている。

しかし、そこで考えるべきは、文明をどうとらえるかということである。私としては、人類の文明は現在のところ、未熟な段階、第一段階を登りつめつつあるにすぎないと思う。実際、今までの人類の文明は、「行け行けドンドン」、もっぱら「前に進む」ことをめざしてきて、たしかに大きな成果を挙げてきた。しかし、その結果として生ずるさまざまのマイナスについて、あらかじめ考えをめぐらし、じゅうぶんに対策を講ずるといった配慮を欠いてきた。その結果、「公害」や「薬害」が生じてきたのであるし、「想定外」と称する原発事故が起こりもしたのである。地球温暖化の問題も然りである。

人類文明のあまりに急速な発展なるものの彼方に暗い陰鬱な未来が想定され、文明についての悲観論が生まれるのも、この現今の文明のはなはだ未熟な現状、いわば、第一段階にある文明を、文明そのものと考えてしまうところからくるのではあるまいか。

そこで、私は、人類文明がより成熟し第二段階に移行するためのキーワードとして、

「フィードバック」を提唱したい。このごろその危機が叫ばれはじめた「民主主義」というのも、高級なお題目などではなく、その要諦として「みんなのこと」を決めるときのフィードバックという面が非常に重要なのである。

文明の進展のなかで、ただ「行け行けドンドン」でひた走るのではなく、地球上の生態的環境、気候的環境への影響についても思いをめぐらし、生じうるマイナスの要素、あるいは万一生じたマイナスの影響についてもできるだけ軽減し、除去する能力をも高めていくことが必須である。そして、それを可能とするには、「みんなのこと（パブリック）」は、みんなで決める。そして行きすぎをみんなのこととしてフィードバックする」仕組み、すなわちいわゆる「民主主義」が「正常」に機能することが、大切だと思われるのである。

グローバリゼーションと文化

すでに述べたように、格差の拡大は世界的な問題となっている。ただ、文化的同質性が高いといわれる日本では、格差は拡大しつつあるものの、かつてあった階級的差別はほとんど解消し、文化的差別が大きな社会問題となるには至っていない。たしかに、文化的背景を異にする人びとに対する差別がないわけではもちろんない。しかし、その一方で、人口減少に対する対策として、移民システムの導入と、その結果生じる多文化化について、多文化共生社会をめざすべきとの論が盛んになりつつさえある。

しかし、文化的多様性がますます拡がっている欧米では、文化的差異が経済的格差と合体して、社会的差別が深刻化しつつあるといわれる。移民排撃の対外的排外主義のみならず、社会内で格差生活を強いられている異文化の人びとに対する排撃のごときまで引き起こしているといわれている。この状況に対抗して、たとえば、フランスで旧植民地から渡来してフランス国籍を取っているにもかかわらず、厳しい格差のみならず、差別の下に苦しむアラブ系ムスリムの「フランス人」が、イスラム過激派のテロ活動に加わるといった事態も起きている。異質なものへの許容性を高めるはずの、文明のフィードバック能力と、異文化を理解する文化の感受性の機能不全が問われているのである。

文明の進展は、ヒトとモノと情報の流通を活発化し、全地球上の人類社会を一つのシステムへと編み込んできた。人類は、まだ原人の時代に、東アフリカから発して、「旧世界」のアフリカ、ヨーロッパ、アジアの「三大陸」へと拡がっていった。そして、新人類のホモ・サピエンス・サピエンスの時代に入り、「新世界」の北米、さらに南米の両大陸へと拡がっていった。これこそ、人類の真のグローバリゼーションの第一段階であったであろう。

その後、一五世紀末に始まる西欧人の「大航海」時代をきっかけに、とりあえずは西欧人を原動力として、三大洋五大陸が、ネットワークで結ばれるようになり、ついには全地球上の人類社会をたばねる唯一のグローバル・システムを生み出したのであった。

人類の全地球上への分散の過程が、グローバリゼーションの第一段階であるとすれば、全地球上にちらばる人類社会が一つのシステムへとまとめ上げられていく過程を、第二段階と呼ぶことができよう。実際、今日の人類は、インターネットを通じて瞬時に情報を共有できる。かつて、江戸時代の日本の穀物取引の中心、大坂・堂島の米相場の変動は、ロンドンの穀物市場の価格に何の影響も与えなかった。しかし今日では米国のウォール街の株式市況は、瞬時に日本の兜町の相場に影響を与えるのである。

このようなグローバリゼーションの進展のなかで、まったく新しい「革新」「イノヴェーション」の中心になってきたのは、少なくとも二〇世紀中葉以降は、米国であった。そして、その米国の人びとの好むものもまた、全世界に受け容れられていった。

米国発のコーラも、ジーンズも、マクドナルドも、単なる好みの問題である。このような「好み」は、文明よりは文化の問題ととらえられよう。文明のグローバリゼーションのみならず、文化の面でも、グローバリゼーションが進展しているのである。

しかし、「好み」の問題のはずの「文化」では、昔からの伝統も生き残る。いかに、米国発のハンバーガーが進出しようとも、普段の暮らしでは、中国や日本では、フォークとナイフとではなく箸で食事をする。インドでは、右手指食が保たれる。「好み」としての文化のなかでは、「伝統」が根強く生き残っているのである。

そして、グローバリゼーションの進展のなかで、文化と文化の出会いの機会もまた増加していく。英国人は、インドで出会ったカレーをとり入れ、そのカレーを、英国モデルで生まれた近代日本の海軍が受け容れた。日本の江戸前寿司もまた、欧米だけでなく、イスラム圏にまで受け容れられつつある。

一方で、文化と文化のふれ合いは、文化と文化の衝突、「文化摩擦」も生み出している。グローバリゼーションの進展で、唯一のグローバル・システムに統合されつつあるかにみえる地球上にはなお、文化を異にする複数の文化圏が並存し、それが国際環境にまで影響を及ぼす事態が、しばしば見受けられるのである。その典型は、二〇一六年にイラクでカリフを裁くと宣言して、出現した「イスラム国」であっただろう。このようにして、人類史上、多年にわたって育まれてきた「文化」のちがいは、今日、国際的な大問題となりつつある、移民排除、難民排除の動きを、さらに深刻化させているのである。

五つの文化圏

さて、プロローグでは、新型コロナ・ウイルスのパンデミック化と「『民主主義』の危

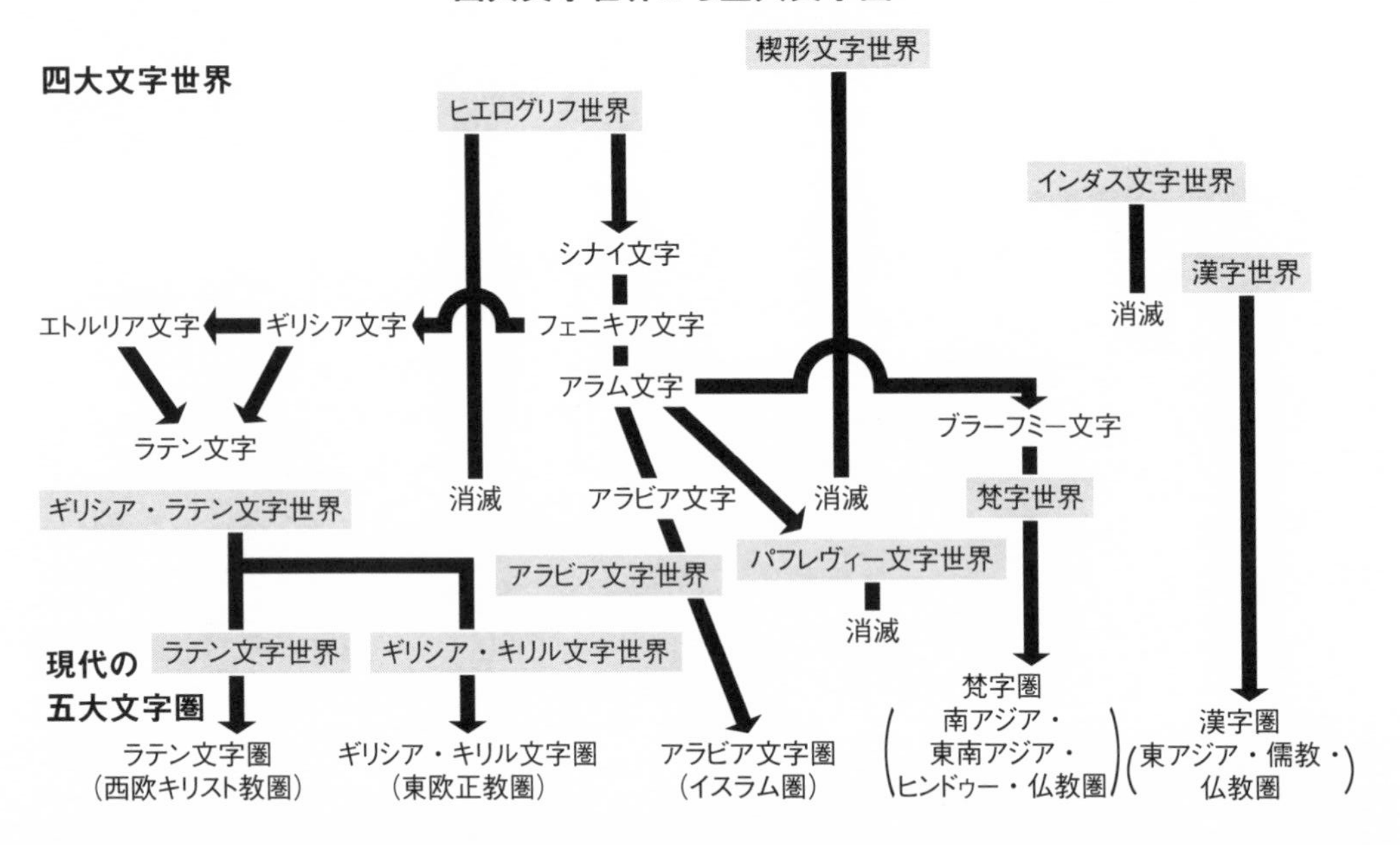
四大文字世界から五大文字圏へ
四大文字世界
楔形文字世界
ヒエログリフ世界
インダス文字世界
シナイ文字
漢字世界
消滅
エトルリア文字
ギリシア文字
フェニキア文字
アラム文字
ブラーフミー文字
ラテン文字
消滅
アラビア文字
消滅
梵字世界
ギリシア・ラテン文字世界
パフレヴィー文字世界
アラビア文字世界
消滅
現代の
五大文字圏
ラテン文字世界
ギリシア・キリル文字世界
梵字圏
南アジア・
東南アジア・
ヒンドゥー・仏教圏
漢字圏
（東アジア・儒教・
仏教圏）
ラテン文字圏
（西欧キリスト教圏）
ギリシア・キリル文字圏
（東欧正教圏）
アラビア文字圏
（イスラム圏）

機」と、文化的多様性と文化摩擦を切り口に、文明と文化についてふれてきたが、以下の諸章ではまず、文化と文明とは何かをあらためて考えてみよう（第一章）。

その人類の文明と文化にとって、言語は決定的な意味を有していた。とりわけ言語を可視的に定着する媒体としての文字は、現代世界で有文字文化が圧倒的優位を占めていることからして、特段の重要性を有していたことを明らかにしていこう。少なくとも、有文字文化についてみるかぎり、文化の拡がりを可視的にとらえるために、文字が格好の目印となる。現代世界では、第二章で詳しく述べるように、五つの文字で可視化される五つの大文化圏がいま世界のほとんどを包摂していることを示そうと思う。五つの文化圏とは、すなわちラテン文字圏としての西欧キリスト教圏、ギリシア・キリル文字圏としての東欧正教圏、アラビア文字圏としてのイスラム圏、梵字圏としての南アジア・東南アジア・ヒンドゥー・仏教圏、そして漢字圏としての東アジア・儒教・仏教圏である。人類の歴史のなかで、人類がいかなるかたちで、現今の五大文字圏としての五大文化圏を形成することになっていったかを略述したい（第二章）。

そのうえで、我々の新しい文化と文明の概念からしても、文化の最重要分野の一つとしての宗教と、文明の最重要分野の一つとしての科学の誕生と両者の相克を略述することとしたい（第三章）。そしてまた、ソフトの文明の最重要要素の一つとしての組織と、文化との関わりを見ていきたい（第四章）。

第五章では、歴史上、大文化圏を形成した諸文化の特色と、その変容過程を衣食住のような身近な生活文化から解き明かし、第六章では、文学や芸術とグローバリゼーションの関係について、たどってみることとしよう。

そして第七章では、文明と文化の発展と衰退の条件について概観し、最後にエピローグでは、人類の歴史、そして現代世界における、我が日本の文明と文化についてふりかえってみることとしよう。

目次

漢字文化圏の周辺だった過去／日本文化の発信を／「異才」を拾い上げる人材育成／フィードバックとイノヴェーション

第一章　文明と文化とは

文明とか文化というけれども

近頃、人類の文明の歴史といったことが、よく話題にのぼる。○○の文明史、○○の文化史といった著作も、いろいろと現れている。しかし、それでいて、文明とはそもそもどういうものなのか、文化とは何なのか、文明と文化がどんな関係にあるのか、といったことについては、あまりまとまって論ぜられていないように思われる。

もっとも、文明や文化というものは、人間と猿とか、象と鯨とかのように、ものとしてそのまま存在しているものではない。人間の活動のある側面をさすために作られた概念なのであり、文明とは何か、文化とは何かというときに、人間活動のどの側面を文明あるいは文化と呼べば、人間活動をよりよく理解できるかということが重要なのである。

とすれば、文明と文化について考えるとき、この二つのことばをどう定義するかが問題となってくる。文明とは何か、文化とは何かについて、今まで多くの人びとが議論してきた。まずは、文明と文化ということばについての、これまでの議論について少しふりかえってみることが必要であろう。

文明と文化は同じか

今日の我々は、日本語として、文明とか文化ということばになじんでいるが、我々が使っているような意味で文明、文化ということばが日本語に入ってきたのは、そう昔のことではない。「開国」されてから、「西洋語」の翻訳として入ってきたのである。「西洋語」では、文明は、フランス語なら civilisation、英語なら civilization、文化だと、英語なら **culture**、ドイツ語だったら **Kultur** ということばで、日本語の文明や文化は、その翻訳語だった。

もっとも、西洋でも文明、文化が今日の意味で用いられるようになったのは、そう古くはなく、ようやく一八世紀のことだった。一八世紀から一九世紀にかけて、「西洋」の先進地帯だったフランスや英国では、もっぱら文明に目がむけられた。

とりわけフランスでは、人類の歴史とは人類が文明化していく歴史であり、文明に対するものは「未開」であり、西洋人とちがった暮らし向きの人びとは、「未開」で文明化されなくてはならないということになった。そこで、条約を結んだりするときも、文明人である自分たちは、「未開人」であるアジア人などの法律で裁かれてはたまらないというので、治外法権を認めさせる不平等条約を押しつけたりした。そこでは、文化といったものには、そう注意が払われなかった。

これに対し、一九世紀末に至るまで、まずはフランス、ついで英国にくらべると遅れのめだっていたドイツでは、文明に対して文化というものもあり、文明と文化とは別物だという考えも生まれている。その考えがもととなって、文明は、科学や技術を中心とする、どこにでも拡がりうる普遍的なものだが、物質的なものにとどまるということになった。文化については、ある人びとの集団に特有のものなので、特殊的だが精神的なものとされるようになった。さらに進んで、普遍的だが物質的な文明は外面的で、特殊的だが精神的で内面的な文化こそ貴いという議論まで生じてきた。

こうした文明と文化は別物という考え方に対し、人類はまずは文化をもつようになり、文化が発展すると文明となるという見方もある。今日でも考古学や人類学の先生方は、文化が発展して都市を創り出すところまでくると文明となるとみているようである。第一次世界大戦直後にベストセラーとなった『西洋の没落』を著したドイツ人オズワルト・シュペングラーは、文化の発展したものを文明とすると考えたのは同じだが、創造的だった文化が発展して、都市化が進み創造力を失い固化したのが文明で、文明は死滅に至ると論じた。文化と文明を同一線上におきながら、固化した文明に対し、創造的な文化をよしとするところでは、文化は文明に優るという文化優越論につながるものとなる。

こうしてみてくると、文明だけでよい、ないしは文化と文明は同一線上にあるという見方を文明文化一元論と呼ぶとすれば、文明と文化は別物であるという文明文化二元論とがあるといえるだろう。それをふまえ、私自身としては、やはり文明と文化は別物として定義した方が便利だと思う。ただ、文化は文明より優れているなどという気は毛頭ない。人間の活動の異なる位相をとらえるためには、別物として文明と文化を定義した方が便利だと思うからなのである。

人類の営みとしての「文明」

「文明」と「文化」を、人間活動の別の側面をとらえるためのことば、概念と考えるとして、ではまず「文明」とは、どのようにとらえればよいのか。やはり科学と技術、都市と社会の秩序、安全で豊かな暮らしといった側面についての概念と考える方がよさそうである。

その際、何よりも人間と、仲間の人間も含めた自分の外の世界とのかかわりから検討をはじめる必要があろう。人類は、まずは生きるために、食べることが必要であるから、身近で手に入るものをとって暮らしていた。樹上にいた頃は、主に果物や木の実や葉、地上に降りてからは、食べられる草やきのこを採って暮らしていたであろう。さらに、とりあえずは、手で捕えることのできる昆虫や小動物、水ぎわでは、さらに魚や貝やかにやえびも獲って暮らしていたであろう。こうした活動は、人類だけではなく、動物たちも本能に基づいて同じようなことをしている。

しかし、人間の場合、道具というものを使い出した。動物でもチンパンジーは、木の小枝を折りとって蟻や白蟻の巣につっこみ、怒ってとりついてきた蟻や白蟻を食べるそうである。これも、立派な道具ではある。

人間がチンパンジーなどと違うのは、ひとつには石を割って鋭い刃をもつ石器をつくるというように、道具をつくって用いるようになったことである。さらに人類は、かち割って刃をつけた石を、磨いてより使いやすくすることまではじめた。こういうことができるのは人類だけである。しかもそれは、本能によるのではなく、自分で考えついて、その後は学習によって受け継がれていったのである。道具として、石器を木の枝に結びつけて斤(おの)や槍をつくり、皆で協力すると、かなり大きな動物も狩れるようになる。これらはほとんど本能に基づいて暮らしている動物にはできることではない。さらに人類は、釣り針と釣り糸をつくって魚を漁り、弓と石の鏃(やじり)をつけた矢をつくって、空飛ぶ鳥まで狩るようになった。

加えて人間は、火を用いることを学んだ。動物でも、たまたま野火があるとき、近よって暖をとったり、濡れた毛皮を乾かしたりすることはあるかもしれない。しかし人類は自ら火をおこし、火を危険な猛獣よけに使い、暖をとり、木の実や肉を焼いて食べるようになった。火を使って土器まで作るようになると、食べ物の幅が格段に拡がる。しかも、火は人工のエネルギー源の基(もと)いであり、木の枝から薪、木炭から石炭、油から石油、電気から原子力へと、巨大なエネルギー創出へと進んでいく出発点となった。こうなると人類と動物は隔絶したものとなる。

食料についても、狩猟採集で暮らしていたときは、獲物を求めて移動していたが、食べ物になる植物の豊富なところにいつくことも出てくる。日本の縄文時代には、栗林のそばに住んで何千年も暮らしていたという。それがやがて、食べ物になる植物の種をまいて収穫するようになると、農耕がはじまる。植える植物が、芋類だと保存がききにくく、あまり貯めることができないが、穀類だと保存がきくので、余分の収穫物を貯められる。そうなると、より多くの人が集まって暮らせるようになり、村ができ、大規模な都市が生まれる。

都市に生きる人が多いと、一方でまとめる秩序が必要となり、他方では、分業化も進む。また多くの人が協働することが可能になるから、大河に大きな堤防を築いて水源のコントロールが可能となる。もはやＤＮＡで規定された本能によってというより、むしろ集団のなかで学習により習得し、世代をこえて受け継がれていくような、人類の営みのなかで生み出されてきたもの、こうしたものを「文明」と呼べばよいと思うのである。

以上をまとめれば、「人間の、外の世界についての利用・制御・開発の能力とその諸結果の総体」と定義づけることができよう。その際、「外の世界」すなわち「外的世界」について、少し気どって「マクロ・コスモス（大宇宙）」と名づけてみたい。

「行け行けドンドン」からフィードバックへ

このような文明の定義は、これまでのさまざまな文明論と軌を一にしているであろう。今日、文明の行き詰まりや、将来への不安が論ぜられることが多い。たしかにエネルギーを操ることができるようになったのはよいが、原発のように、一度事故を起こして暴れ出すと、止められない。そうでなくても、発電の過程で生ずる廃棄物がほんとうに安全になるには何万年もかかるといった事態が生じる。コンピューターの研究が進み、ＡＩつまりは人工知能まで創り出したのはいいが、人間の社会生活に応用されはじめれば、社会の多くの人の仕事が奪われてしまうのではないかとの話もある。そこで、「文明」の先行きについて深刻な悲観論がでてきてしまう。

しかし、私はそう悲観的でもない。プロローグでも述べたように、今までの文明論の多くは、「行け行けドンドン」タイプのものとして文明をとらえていた。私にいわせれば、そういう「文明」は、まだ第一段階の文明だからいろいろな弊害が生ずるのである。

それでは、文明が第二段階に到達するには、何が必要なのだろうか。それにはまず、「想定外」ということをできるだけなくす必要がある。福島の原発事故に際しても、東京電力当局は、「そんな大津波など想定外だった」といったそうであるが、実際には、三・一一より前に、地震の専門家が、平安時代に起きた「貞観地震」による大津波と同規模以上の津波の再来を指摘し、忠告した。ところが、一〇〇〇年に一度などということにかまっていられるかと、無視したようなのである。「想定外」なのではなく、そもそも「行け行けドンドン」「コスト・カット」で、都合の悪いことが起こることなど想定する気がなかったのであろう。第一段階文明人の典型である。

しかし、ここまで人類にとって両刃の剣になるほどに文明が発展してしまった今、つねにできるだけ「想定外」の事態など生じないように、起こりうる危ない事態についても思いをめぐらし、不幸にして事態が起こってしまったときにはどう対処すべきか考えぬいておくことが必要であろう。つまりは、行きすぎや、危ない事態に対処できるフィードバック対策に力をいれるべきなのである。

ファラオの時代以来、ナイル河は五〇〇〇年のあいだ問題なく洪水と耕作がつりあっていた。しかし、ナセル大統領時代のエジプトで、ナイル河の洪水を全面的にコントロールしようと、米国とけんかしてソ連にすり寄ったりまでしてアスワン・ハイ・ダムをつくったところ、洪水が起こらぬようにコントロールできるようになったのはよいが、塩害が生じてしまった。何ヵ月にもわたる洪水のおかげで土にたまる塩抜きができていたものが、ダムが働くことでかえって土に塩がたまり塩害が生じてしまったのである。起こりうる事態を想定して、対策をたてることが必要なのである。

そこで、私は「文明」の定義としては、さらにフィードバック能力について付け加えて、「人間の外的世界(マクロ・コスモス)についての利用・制御・開発の能力とその諸結果の総体、及びその諸結果についてのフィードバック能力とその諸結果の総体」と定義してはどうかと思う。フィードバック能力について付け加えることで、「行け行けドンドン」だった第一段階の文明についての悲観論については、多くを解消できるだろう。そして、フィードバック能力がじゅうぶんに発達し、前進がつねにフィードバックにより支えられるようになり、バランスが一応取れたとき、「文明」は、第二段階をもこえて、第三段階というべきものに到達したことになるのではあるまいか。

心の「文明化」――暴力の抑制

さて、私は文明論について、外の世界についてだけでなく、心の世界、内なる世界も含めて考えてみたい。そう思うようになったのは、生まれた当時はドイツ帝国領で、今はポーランド領となったブレスラウ出身のユダヤ系ドイツ人という、複雑な出自の社会学者のノルベルト・エリアス（一八九七〜一九九〇年）の説にふれたことが大きい。エリアスは、ユダヤ系ドイツ人だったため、ヒトラーのナチスが政権を握ると、まずはフランス、ついで英国に難民として亡命せねばならなくなった。母親は、強制収容所に送られて亡くなったという。エリアス自身も、四〇代前後の働き盛りに亡命生活を強いられたため、戦後も西欧の大学で正規のテニュア（終身在職権）つきの教授職につくことはできなかった。それでも、老年期に入りようやくユニークな社会学者として評価されるようになったという。

エリアスは、苦難の生活を送るなか、人類の文明について思いをめぐらし、『文明化の過程』という本を著した。このなかで、人類の「文明化の過程」とは、「攻撃的衝動を規制する内的メカニズムの形成の過程である」ととらえた。

つまりは、隣の人がおいしそうなものをもっていたら襲いかかってそれを取ってしまう。かっとして、相手を殺傷する。人が公開で処刑されるのを見物する。そういった行いはよくないこととして控えるようになっていくのが「文明化」だというのである。歴史をふりかえれば、少なくとも西欧では、絶対王政ができあがると、国家権力が暴力を独占するようになり、それまで貴族の当然の権利だと思われていた決闘が禁止される、暴力によってトラブルを解決するといった「自力救済」が制限されていく、といったことが、「文明化」の一つの画期をなしたというのである。

たしかに日本でも、徳川時代にはあたりまえだった刑場での公開処刑や重罪人の首を獄門でさらすこと、さらには仇討ちが、明治の「御維新」後に禁止されている。自由民権運動が盛んだった時代に民権派の論客の一人だった犬養毅（いぬかいつよし）が、決闘を申し込まれたところが、「野蛮の遺風」といってはねつけたことがあった。明治藩閥政府の方もうるさい民権派が仕末されてしまえばよいなどとは思わず、なるほど果たし合いなど「野蛮の遺風だ」、こうした行いを放っておけば、西洋人に「やはり日本人は野蛮人だ」と思われて不平等条約の改正などできなくなると考えた。その結果、「決闘罪ニ関スル件」なる法律を公布して決闘を犯罪として禁止したのだった。同時代のロシア帝国が、うるさいと思った詩人プーシキンを決闘にみせかけて殺してしまったともいわれているのとは大ちがいである。まさに「文明開化」である。

ちなみに、エリアスは、中国と西欧をくらべ、ほんとうに使うつもりで武器を市中で携帯していた西欧よりも市中を皆が丸腰で往来していた旧中国の方が「文明化」が進んでいたといっている。さらには、西欧では食卓にナイフがでてくるが、中国では、箸しかでてこないので、食の作法という面でも、旧中国の方が「文明化」の進んだ社会であったとさえいっている。

私も、この文明論に触発され、文明とは、外の世界とのかかわりのあり方についてだけではなく、人間の心の世界、すなわち内的世界のあり方にもかかわるものでもあると考えることとした。そして、内的世界を制御し開発する能力も含めることとした。ここで、人間の心の世界・内的世界も、少し気どって「ミクロ・コスモス（小宇宙）」と呼ぶこととしたい。

さて最後に私自身の「文明」についての定義をまとめると、

文明とは、人間の外的世界（マクロ・コスモス）についての利用・制御・開発の能力とその諸結果の総体、及びその諸結果についてのフィードバック能力とその諸結果の総体、そしてまた、人間の内的世界（ミクロ・コスモス）についての制御と開発の能力とその諸結果及びその諸結果についてのフィードバック能力の総体

であるということになる。

こう定義した文明は、第一段階だけでなく第二段階の文明も視野に入れたものであり、そうであれば、現今のいわば第一段階の文明についての行き詰まり論、悲観論を克服できると思うのである。

こうみると、やはり文明は、普遍的なものということになるだろう。しかし、時と所によって人びとはずいぶんと特殊性も示す。つぎは、「文化」について考えてみよう。

人間活動の「くせ」

先に私は、「文明」と「文化」はちがうものとみる点では、文明文化二元論をとると述べた。ただもちろん、一部の二元論のように、精神的・内面的「文化」の方が、物質的・外面的な「文明」より優れているなどというつもりはない。前にも触れたように、「文明」と「文化」を、人間活動の異なる側面をとらえるための概念として組み立てようというだけである。

それでは、「文明」の概念に対して「文化」はどう定義するべきだろうか。米国の文化人類学者のクローバーとクラックホーンは、一九五二年に刊行した『文化』のなかで、一九五二年の段階で、少なくとも一六四種、さらに拡げれば三〇〇種も「文化」の定義があるといっている。それはともかく、私としては、私なりに定義した「文明」の概念に対し、「文化」の概念は、それを相互補完するものとして定義してみたい。

私の「文明」の概念にたちもどれば、文明は、人類全般が創り出し発展させてきたものであり、普遍的な性格を帯びている。しかし、また、歴史をふりかえれば、時と場所によって、ずいぶんちがう特色をもった人びとがいたし、今もいる。そもそも、いろいろちがう言葉があるし、それを記す文字もいろいろである。

食べてよいもの、いけないものも、それぞれ異なる。インドのヒンドゥー教徒は、牛が神聖とされているので牛は食べてはいけない。イスラム教徒とユダヤ教徒は、豚が不浄だというのでタブーになっている。これに対して、漢字圏の人びとには、食べてはいけないものはない。もっとも日本では、幕末までは獣肉は忌まれる傾向があった。

人びとの暮らし向きの多様性は「食」以外にもみられる。この頃は「洋服」がどこにでも入り込んでしまったが、「洋服」侵入以前には、さまざまの伝統装束があった。建物も、洋式建築が侵入してしまってはいるが、伝統的にはさまざまの異なるかたちの建物があった。その名残りは、今でも特に宗教建築に色濃く残っている。

文学や芸術でも、現在は近代西欧の影響が入り込んでしまっているが、伝統的には、中国の漢詩、日本の和歌俳句、沖縄の琉歌、そしてまたアラビア語やペルシア語やトルコ語の古典定型詩など、絵画にしても中国の南画、日本の大和絵や浮世絵、イスラム圏のミニアチュール（細密画）と多種多様だった。

あいさつのしぐさについても、近代西欧の影響を受けて現在では握手がかなり全世界に拡がっているが、漢字圏では伝統的にはおじぎで、日本では未だに、握手は浸透せずおじぎが基本である。これに対し、イスラム圏のトルコでは、今は握手が定着してしまったが、伝統的には右手をまず胸にあてたうえで額まで持ち上げながら、「御身に神の平安を」といったものだった。同じ西欧圏の人びとでも、イタリア人は、手であご先をなでると、軽蔑を表し、ことによると大げんかの元にもなるという。

それはさておき、こういう立ち居振る舞い、ものの考え方、ものの感じ方のちがいをとらえるための概念として文化を定義してはどうかと思うのである。

人間が集団の成員として後天的に習得し共有する、行動の仕方、ものの考え方、ものの感じ方の「くせ」とその所産の総体

「後天的に習得」と入れたのは、動物にもいろいろ異なるくせがみられるが、その大半は、DNAに書き込まれた本能によると思われるからである。といっても、動物にも、「後天的」に習得し共有するくせもあるのは確かである。九州沿岸の島に棲息する猿のなかで、薯(いも)を海水で洗うのがでてきて、この「くせ」が拡がったという話もある。しかし、人間と比べれば限定的である。

文化をこう定義すれば、「文化」とは人間活動の特殊的な面をとらえるための概念とな

る。そして、「文明」は普遍的なものとして定義はしたものの、文明を担うのは文化の刻印を帯びた人間集団であるから、ある時点の、ある場所の、ある人びとに担われている特定の個別文明は、必ず文化の刻印を帯びることになる。そういう観点では、文化の刻印を帯びた個別文明を、西欧文明だの中国文明だのという表現も残されることになるのだ。

文化も変化する

もっとも、文化も時間の経過とともに変化していく。その変化は、同一集団内での内在的発展によることもあれば、外在的なモデルの受容、刺激によることもある。これを「文化変容」と呼ぶ。

「文化変容」で、歴史上最も顕著なものは、この二、三世紀の間に起きたグローバリゼーションの過程であろう。この「文化変容」は西欧を原動力として、地球上の全人類社会が唯一のグローバル・システムへと急速に統合されていくなか、近代西欧の文化が拡散、浸透して引き起こされた。実際、文化を異にしてきた多くの社会で、洋服が受容され、洋式建築が受容され、近代西欧の文学や音楽や絵画が受容されていった。そして多くの社会で、洋服こそが通常服となり、伝統の服装は特殊なものとなってしまった。我が日本の和服が一つの典型であろう。

このような文化変容は、日本が、かつて中国、特に隋や唐の影響の下に漢文を学び、漢字と漢語を受け容れ、その他種々の文化的要素を中国から受容していったときにも起こったと考えられる。そしてまた、かつてローマ人がイタリア半島の外に押し出し、地中海を「我らの海」とし、さらにガリアからブリタニア、すなわち今日の英国の北端を除いたところまで拡がりローマ帝国を形成し、ラテン語とラテン文字、ローマ風の服装と生活様式が拡がっていったときにも、いわば「ローマ化」として進行したことであろう。

そうした場合、文化的モデルの流出源となった文化の担い手たちは、文化的優勢を信じたであろう。その典型例は、漢文と漢字と漢語を共有するにいたった世界の中心となった、中国の「華夷(かい)思想」である。

文化については優劣を論じえない

さて、文明とりわけ外的世界にかかわる文明については、優劣を論じることが可能である。生産力の差は、数量的に示しうる。運輸能力の差は、同一距離を動く速度によって知りうる。武器の性能差は、戦場で明白に示されうる。そして、医療技術の差は、医術によって治癒させうる病種のちがいによって知りうる。文明、特に外的世界にかかわる文明については、客観的に比較優位、比較劣位を明らかにしうることが多い。

これに対し、文化では、影響力の強さについては、比較優位、比較劣位を示しうるかもしれない。しかし、文化そのものについては、せいぜい素朴なもの、洗練されたもの、といった尺度で比較可能かもしれないが、客観的に優劣を論ずることは難しい。五言絶句と和歌とソネットのどれが優れているかなどということは、客観的にはいいえない。素朴にみえるものと洗練されたものについてさえ、日本風の「わび、さび」を重んずる世界では、ごく素朴にみえる茶器の方が尊ばれることがある。否、高度の技術で、楽焼きのようにごく素朴にみえる茶器がつくられる。文明の技には、計測可能な要素が多い。しかし、文化については、あくまで「好み」が表にでるのである。

さて、同じ「文化」を共有する人びとの分布の拡がりを文化圏と呼ぶとすれば、その拡がりは、どうすれば明確にとらえうるのであろうか。文化の拡がりについては、これまでもさまざまの説が提示されてきた。しかし、いずれの説にもあいまいさが残るきらいがあった。そこで次章では文化の拡がりを明確に、しかも可視的にとらえるために、少なくとも有文字文化については、「文字」に着目することを提案したいのである。

第二章　ことばと文字

画期としての言語の誕生

人類はいかに外的世界とかかわるようになったのか。第一章でも述べたように、人類の文明の外的世界とのかかわりの部分での画期としては、まず道具の使用であろう。猿も道具を使うかもしれないが、道具を使って道具を作りはじめたのは人類のみである。いま一つは、火の利用であろう。火をおこして用いはじめたのは、人類だけである。そして、農耕の開始である。作物を植えつけて収穫を得ることをくりかえしはじめたのも、人類のみである。これらに加えて、いま一つの画期をあげえよう。それは、言語の誕生である。

言語とは、音声か身ぶりによるコミュニケーションの媒体と定義づけえよう。通例は、言語は人間に特有とされてきた。しかし、この点は、神が人間を創り、人間に固有のものとして言語を与えたという、一神教のキリスト教系の固定観念からくる偏見の可能性がある。

動物にも、かなり複雑な音声と身ぶりによるコミュニケーション・システムがあるようである。空飛ぶ小鳥も鳴き声でコミュニケーションをとっているようであるし、海中のイルカなども超音波を使って複雑な交信をしているそうである。ただ、それが、DNAに基づく本能によるのか、後天的に習得されたものなのかは、明らかでない。

人間の場合も、言語習得前の赤ちゃんについては、不快や不満や飢えを示すための泣き声は、人種・民族を通じて変わらない。これは、おそらく本能によるのであろう。違って聞こえるのは、異なる言語を習得した人間の受け取り方にすぎない。しかし赤ちゃんも、ひとたび集団の成員として後天的に言語を習得しはじめると、各々の言語を媒体として、同じ事態に対して、まったく異なる表現をするようになる。このようなことは、動物にもありうるかもしれないが、今のところ定かでないようである。

たとえ動物にも後天的に習得する表現の媒体をもつものがあるにしても、人類のみが、ひじょうに高度に発達したコミュニケーションの媒体を築き上げたのも確かである。身ぶりに基づく言語もないではないし、手話は、音声による言語に匹敵しうる複雑なコミュニケーションの媒体となっている。しかし、人類の歴史をふりかえるとき、コミュニケーションの媒体としての言語は、主として音声を媒体とするシステムとして発達してきた。

人類は、音声による言語を媒体としてもつに至って、外的には、情報の伝達と共有のシステムを飛躍的に拡大することを得た。しかも、時間帯をともにする短期的な共有、すなわち共時的共有にとどまらず、記憶と口承を通じて、長いタイム・スパンに拡がる情報の伝達と共有、すなわち通時的伝達と共有をも可能とした。このことによって、人類の保有する情報量は飛躍的に拡大し、文明の発展を大きく加速させたであろう。加えて言語は、記憶と思考の媒体としての機能ももつ。この機能を通じ、人類は内的世界において、情報を大量に蓄積し、思考を深め体系化していくことが可能となったのであろう。

現代世界をみると、使用者を失い急速に数を減じながらも、今なお膨大な数の言語が存在しているという。万民共通の赤ちゃんの泣き声と異なり、言語は、人類の長い歴史のなかで枝分かれしつつ、多様化していった。この多様化の原初の過程は、音声は時空のなかに跡をとどめずに消え去るものであるから、復原することは困難であろう。しかし、多様化した言語は、単に文明の一要素として、コミュニケーションの媒体であるにとどまらず、ある言語を共有する集団の成員のアイデンティティーと統合の、少なくとも重要な一基軸となっていったのである。

民族統合の基軸としての言語

第一章で「文化」を、「人間が集団の成員として後天的に習得し共有する、行動の仕方、ものの考え方、ものの感じ方の『くせ』とその所産の総体」と定義したが、言語は、ものを考え、ものを感じるときの内的世界での媒体でもあり、またその結果を外的世界に表現するときの媒体でもある。

それと同時に、表現の媒体としての言語自体が、「文化」の重要な一翼をなす。とりわけ近代西欧において、「民族」が政治体としての国家の重要な担い手と考えられるようになった後には、ある人間集団を民族たらしめる基軸は、集団の共有する言語に求められるのが通例となった。

中世以来、諸領邦が分立し、国家的統一が遅れたドイツの場合、ドイツ語を共有する人間集団が「ドイツ民族」であり、長い歴史と高い文化をもつ「ドイツ民族」は、統一された「民族国家」をもつべしとされるようになった。『グリムの童話集』で名高い、グリム兄弟も、そのもともとの仕事は、ドイツ語の大辞典を創り上げることであった。その傍ら、ドイツ民族の心性を明らかにする努力の一端として、日本では『童話集』として知られる著作を編んだのであって、本来の目的は、民俗学的な民間伝承の収集にあった。そのため、小さな子どもたちを楽しませる「童話」にはふさわしからぬ、恐ろしい話、残酷な話も数多く含まれているのである。

自分たちの集団の位置を確かめる動きはグリム兄弟だけのことではない。自分たちの言語の御先祖探しと、親類の言語探しについても紹介しておこう。

グリム童話の少し前、ムガル帝国が衰弱したインドで、フランスとの主導権争いに勝利した英国からやってきたウィリアム・ジョーンズが、インドで聖なる言語とされていたサンスクリットを勉強して、ペルシア語、ギリシア語、ラテン語と親類関係にあることを見つけた。そして、この一群の親類言語は、語族としてとらえるべきだとして、インド・ヨーロッパ語族、つづめていえば、印欧語族といおうということになった。

その少しあとに、ドイツの学者などが、印欧語族のことばを話した人びとを、アーリア人だといいだした。同じ頃、生物学も発達してきて、人類についても、白色人種、黄色人種、黒色人種に三分しようということになってきた。そして、アーリア人は、白人のなかでも最も優れた人びとで、ドイツ人のなかには、アーリア人のなかで最も優れているのがドイツ民族だといいだす者もでてきた。

本来は生物学的な概念の「人種」と、文化的な概念のはずの「民族」が結びつけられ、ドイツ民族は白色人種のなかでも、遺伝的に最も優れた形質を受け継ぐ最優秀民族だというのである。そして、ヒトラーが登場すると、白人で人類中の最優秀民族であるドイツ民族が、世界を支配すべきだということになって、第二次世界大戦を引き起こすことになってしまった。

ヒトラーのいうところでは、アーリア人でもないセム系のユダヤ人は、最劣等人種で抹殺すべきということになり、ユダヤ人迫害がおこなわれ、第二次世界大戦が始まると、強制収容所をつくってホロコーストをはじめることになった。

しかも、ヒトラーによって同じ印欧語族のはずのスラヴ民族も劣等民族として扱われた。さらにおかしなことに、同じ白人で印欧語族に属し、もとはといえばゲルマン民族の一派のはずの英国人や、米国の今でいえばＷＡＳＰ（White, Anglo-Saxon, Protestant）系の人びとまで、劣等民族扱いすることになった。

こうした扱いは、先進国であったフランスや英国に対するひがみから来ていたのであろう。いくら文明が進んでいても、文明より文化の方が大切で、文化については、ドイツの方が上だと言いだしたのと根は同じと思われる。

日本語と沖縄語

ところで、印欧語族という概念をつくり上げていくとき、ウィリアム・ジョーンズ以来、基本的語彙が似ていて、規則的に音と語形が変化していったことが証明されてはじめて、その二つの言語が親類関係にある、すなわち、同じ言語系統、同じ語族に属するのだということになった。幸い印欧語については、サンスクリットも、一番古いペルシア語であるアヴェスタ語も、ギリシア語、ラテン語も文字で書き記されたものが残っていたために親類関係を証明できたのだった。そして、印欧語族という概念をつくり上げてから、近代西欧で比較言語学が発達したこともあって、いわゆる文法がいくら似ていても、それは偶然のそら似かもしれない、基本語彙が似ていなければ、親類の言語とはいえないと考えられている。

我が日本語は、どの語族に属するかが不明の孤立言語ということになっている。ただ、「日本語」というくくりについては留意が必要である。沖縄語は、東北弁や関西弁と同じような日本語の方言として扱われてしまっている。しかし、トルコ人の立ち上げたオスマン帝国を専門としてきた私からみると、それは少し問題のように思われる。

中国の新疆ウイグル自治区から中央アジアをつっきってカスピ海と黒海の間のコーカサスからトルコ共和国まで、トルコ系の言語を母語とする人びとがつながっている。しかし、トルコ語（ターキッシュ）というのはトルコ共和国の標準語だけをさす。新疆ウイグル自治区のウイグル語、そこから西方にキルギス語からアゼルバイジャン語まで、少し北西にずれてカザン・タタール語、クリム・タタール語まで連なる、トルコ共和国のトルコ語以外のトルコ系の諸言語は、トルコ系（テュルキック）諸語ということになっている。

それから考えると、平安時代までには京都の政権の支配下に置かれた、「陸奥」から「薩摩」「大隅」までの空間で話されている、さまざまのことばは、「方言」といえるだろうが、沖縄の場合は、事情がまったくちがう。そもそも、沖縄が政治的に「本土」につながったのは、一六〇九年の島津家による征服によってであった。それ以前は、独立した琉球王国だったのである。それでは、沖縄がいつ「日本」の一部となったかといえば、明治維新の後の一八七二年から一八七九年にかけての琉球処分によってである。この琉球処分を、我々は「処分」と称しているが、実際は、「併合」だったのではなかろうか。

こうした沖縄語の経緯を考えると、大きなくくりとして「日本語」をたて、「日本語」は「大和語」すなわち今我々がいう「日本語」と、独立の言語としての「沖縄語」の二つの兄弟言語からなっているとみるべきなのではないかと思うのである。私のいう「大和語」と「沖縄語」は、近代言語学の原則通りに、基本的語彙も圧倒的に共通する。ただ、大和語の母音は今では、「あいうえお」の五つだが、沖縄語では「あいう」の三つしかない。そして、伝統的な詩の形も、「大和」と同じく決まった音の数で構成されるが、琉歌では、「五七五」でなく「八八八六」である。

それはさておき、日本語に親類候補がまったくないかといえば、親日家の多いトルコ人などは、「我々のことばは、ともにアルタイ語族で兄弟だ」といってくれる。たしかに文法はかなりよく似ている。語順などはほぼそのままだ。しかし、共通の基本語彙となるとほとんどないのも事実である。私にトルコ語を教えて下さった護雅夫(もりまさお)先生は、半分は冗談のように、「トルコ語と日本語の共通語彙といえるのは、『カラス』、あの黒い鳥くらいではないか」とおっしゃっていた。たしかに「カラ」は現代トルコ語でも、「黒」を意味する。なんでも古トルコ語では「鳥」のことを「ス」といったのだそうで、つなげれば「黒い鳥」になるというのである。ちなみに、現代のトルコ共和国の「トルコ語」では、我々日本人が「カラス」と呼ぶ鳥は、「カルガ」と呼ばれている。

さて、本題に戻れば、コミュニケーションのシステムとして、人間が言語をもったことは、人類の文明の発展にとっても、文化の分化にとっても、大きな画期だったのはまちがいない。しかし、その言語を固定するものとして、「文字」が現れたことは、さらに決定的な画期となったのである。

可視化・定着化しうる媒体

人類は、言語をもつことで、情報の伝達と蓄積のために、決定的に重要な媒体を有するようになった。いつ、人類が言語をもつようになったかは、音声としての言語は時空のなかに消えてしまって発掘できないのでわからない。口腔のつくりからいえば、すでに原人は言語を発しうるようになっていたようであるが、言語をもっていたか否かは定かではない。

しかし、旧人類になると、ネアンデルタール人の場合、死者を葬るようになっており、抽象的な思念をもつようになっていたと思われ、すでに言語を有していたと考えられる。それが新人類、ホモ・サピエンス・サピエンスになると、確実に音声の体系としての言語を有していた。そして、新人類が、「旧世界」の「三大陸」から、さらに北米から南米へと両アメリカ大陸で拡がり、さまざまの集団に分かれていくなかで、音声によるコミュニケーションの媒体のシステムとしての言語も、多様化していったことであろう。

音声としての言語をもつことによって、情報の伝達と蓄積の能力は、飛躍的に拡大したことであろう。しかし、言語が音声のシステムにとどまっている限り、意味的コミュニケーションについても、直接の接触が必要になる。直接に接触しないまでも、やはり何かの音で、意味内容を伝える必要がある。無文字の頃のアフリカの人びとは、太鼓で情報を伝達したともいうが、しかし、あくまで音に頼ることになると、共時的伝達の拡がりもかなり限定されざるをえない。まして通時的伝達になると、口承と記憶によるしかないので、蓄積されうる情報量は、はなはだ限られることになる。ブラッドベリは『華氏451度』と題する小説でディストピア、つまり書物が徹底的に取り締まられて焼きすてられるような社会を描いた。そこでは、図書館もなくなるなかで、あくまで書物を守ろうとする人びとが、一人が一冊の本を暗記して内容を伝えようとするが、何百万冊もの書物の内容を守ろうとすれば、何百万人もの暗誦者が必要となってしまうであろうし、そんなことはそもそも不可能であろう。

まさに、音声の体系としての言語を可視化し定着化しうる媒体を、人類が得たことは決定的な画期となった。それがいかに画期的であったかは、現代世界において、文字をもった文化のみが支配的となっているのをみれば、明らかである。ただ、音声としての言語は、少なくとも新人類の時代には、すべての人びとが各々の属するグループごとに共有するものとなっていたであろう。しかし、この音声としての言語を、可視化し定着する文字が生み出されたのは、きわめて限られたところにおいてであった。

実際、音声としての言語さえあれば、かなりうまくやっていけるのも確かである。現代においてさえ、教育システムが未完備のところでは、文字の読めない人びとも多数いる。それは、識字率調査で明らかである。中東、イスラム圏のなかでは教育改革が進んでいるといわれるトルコでさえ、私が一九七二年から七五年の留学中に経験したところでは、郵便局には、タイプを備えた「代書屋」さんがいた。司法書士などではなく、ふつうの手紙を、字を書くのが苦手な人のために口述筆記する。外国映画についても、とりわけ下町、田舎の映画館の場合、吹き替えばかりだった。耳で聞く方が良い、どころではなく、字幕の読めないお客さんがたくさんいたからである。

このように、現代でも無文字暮らしはできないことはない。歴史を遡れば、一五世紀から一六世紀にかけて、アンデス地域で大帝国を築いたインカ帝国は、数量を記録するためのキープ、すなわち結縄（けつじょう）はもっていた。一本の縄に位取りをきめ、各位につき、縄の結び目をつくって数量を表すのである。しかし、言語を記録する文字はもたなかった。それでも、大帝国を築き維持できた。

「旧世界」でも、世界史上大きな役割を果たした遊牧民には、文字をもたぬ者が多かった。

漢を脅かした匈奴（きょうど）は、無文字であった。唐を脅かした突厥（とっけつ）も、当初は文字がなかった。あのモンゴル帝国を創り出したモンゴル人も、ジンギス汗の時代には、モンゴル語のための文字はなかった。文字をもつようになったのは、大征服が始まって半世紀以上たってからのことだった。とりあえずは、無文字でも、あれだけの大征服ができたのである。

ひるがえって我が日本についてみても、長らく文字をもたなかった。邪馬台国があって、卑弥呼などという女王がいたことも、中国で『魏志倭人伝』に書き残しておいてくれなければ、わからないままになったことであろう。

それでは、音声の体系としての言語を可視化する文字がどこで発明されたかというと、それは、音声としての言語にくらべると限られていた。かつては、世界四大文明ということがいわれたが、今日では、そうともいえないとの説もでているようである。しかし、ごく早く体系的な独自の文字をもった文明と考えて、四大文字文明といえば、それほど的はずれではあるまい。今まで四大文明といわれてきた文明は、いずれも特有の文字を創り出したのである。

メソポタミア楔形文字の誕生

そのうち最も古いのは、ティグリス河とユーフラテス河に囲まれた地に生まれたメソポタミア文明であった。この地域の南端に住んでいたシュメール人は、粘土板をつくり、そこに葦ペンで刻み込む楔形文字を創出した。ただ、メソポタミアの場合、文字が生まれる前に、数取り玉が現れていたようで、楔形文字もまずは、経済的物名と数量を書き記すために用いられたようである。シュメール人は、人類ではじめて文字を発明したため、同時代の他の人びととの言語はもちろん書き残されておらず、言語系統、語族は不明ということになっている。ただ、読み方のわかった言語との併記文書が多く出てきたので、意味もわかるし、文法もわかる。

それによると、シュメール語は、日本語やトルコ語と同じように、単語に、後置詞、日本語文法風にいえば助詞をつけていくタイプの言語、「膠着語」の系統の言語だったことがわかっている。その北西の方には、単語の語尾を変化させていくタイプの「屈折語」の系統のセム語系のアッカド人、バビロニア人、アッシリア人などがいたのだが、シュメール人が発明した楔形文字は、語族の違い、文法の違いを越えて、セム系の人びとに受け継がれた。さらには、北方のイラン高原の印欧系のペルシア語を母語とするアケメネス朝ペルシア、そして、西方のアナトリア半島東部を本拠とする、印欧系のヒッタイト人にも、言語の違いを越えて、受容されたのであった。

楔形文字は、粘土板に彫り込まれていたために、戦争などで都市も役所も宮殿も焼け落ちても、生き残った。羊皮紙などが使われるようになった後のササン朝ペルシアなどにくらべても、残された文書は圧倒的に多く、生活の詳しい実状までを知ることができる。しかし、このような点では便利なはずの楔形文字は、アレクサンダー大王の遠征でアケメネス朝ペルシアが亡ぼされたあとも生き残ったものの、紀元一世紀頃に、書く人も読む人も亡んでしまって死文字となる。そのため、近代になって西欧人の考古学者が解読せねばならぬことになったのである。死文字となった理由ははっきりしないが、おそらく粘土板に刻み込むので不便だし重くてかさばるので、粘土板も楔形文字も、もっと簡単に書けて扱いやすい羊皮紙やパピルスにとってかわられたのではないかと思われる。

しかし、メソポタミアで生まれた楔形文字を受け継いでいった人びとは、西欧人が「オリエント（東方）」と呼ぶ地域に、楔形文字に拠る独自の世界、楔形文字世界と呼びうるものを創り出した。バビロニア、アッシリア、アケメネス朝ペルシアとつぎつぎと大帝国を生み出し、その帝国統治のシステムと組織は、後代のローマ帝国、そしてイスラム世界のアッバース朝にも影響を与えた。また天文では太陰暦を発達させて、イスラム暦に影響を与え、そこで発達した六〇進法は今日の六〇秒で一分、六〇分で一時間という、時の計り方にも影響を残している。ただ、楔形文字自体は、死文字となり、その子孫を残すことはなかった。

エジプトで生まれたヒエログリフ

世界で二番目に独自の文字が生み出されたのは、ナイルの恵みの下に育ったエジプトにおいてだった。エジプトで生まれたのは、ヒエログリフ（神聖文字）と呼ばれる象形文字だった。それは、ナイルの河岸に茂り数メートルの高さまで伸びる葦を材料としてつくられるパピルスに書かれた。パピルス葦には、ねばねばした芯があって、これを薄くそぎ組み合わせておいて重しをかけると、ごく薄く軽いむしろのようなものになる。これに葦ペンを使ってインクで書くのである。

東西南北四方が開けていて、さまざまな人びとが往来したメソポタミアとちがい、エジプトは北には地中海、東には紅海、南にも西にも砂漠があって、外からアクセスしにくい地形に守られた。エジプト文明はときに異民族に侵入占領されたものの、比較的平穏に三〇〇〇年以上存続した。燃えやすいという特徴があるにもかかわらず、大量のパピルス文書が残されたのである。

ヒエログリフを用い、かつてハム語と呼ばれた言語を母語とするエジプトの文明は、いわゆる「オリエント」の西南で、楔形文字世界とは非常に異なる特色をもつ、ヒエログリフ世界とでもいうべき世界を創り出した。楔形文字世界では、太陰暦が用いられ六〇進法が発達したのに対し、ヒエログリフ世界では、太陽暦が用いられ一〇進法が発達した。そして、この太陽暦は、ローマのカエサルがエジプトを征服した後に、ローマに取り込まれてユリウス暦となり、一六世紀には、その改良形のグレゴリオ暦ができた。このグレゴリオ暦が西欧世界の世界的拡大とともに世界中に拡がり、日本でも「西暦」として用いられている。

さて、ヒエログリフについては、楔形文字とちがいエジプトの外に拡がることはほとんどなかった。そして、ヒエログリフそのものは、ローマに征服されてその属州とされた後にも生き延びたが、紀元三〜四世紀頃に死文字となった。

楔形文字の場合は、死文字となり子孫を残さなかったのに対し、ヒエログリフは、シナイ半島でごく簡略化されたシナイ文字となり、これが表意文字としてではなく表音文字として、セム系のフェニキア人に受容されてフェニキア文字となった。

フェニキア文字から東西へ

フェニキア文字は、東西に影響を拡げ、西方では、まずギリシア人がギリシア文字を創り出すベースになった。そのギリシア文字をベースに、イタリア半島のエトルリア人がエトルリア文字を創り出し、ギリシア文字とエトルリア文字をベースとして、ローマ人がラテン文字を創り出した。そして、ローマ帝国が東西に分裂し、西ローマ帝国が滅んだ後に、その衣鉢を継いだ西欧キリスト教世界にラテン文字が受け継がれる。西欧人が「大航海」時代に世界に乗り出していくなかで、まずは南北アメリカ大陸、オーストラリア大陸、さらには無文字であり西欧人により植民地化されたサハラ以南のアフリカなどに拡がり、広大なラテン文字世界が成立した。

ラテン文字世界としての西欧キリスト教世界は、カトリックとそこから分かれたプロテスタント教会を奉じ、「大航海」時代以降の植民活動で世界に拡がり、一八世紀から二〇世紀中葉までは世界の覇権を握った。そして近代科学と近代資本主義経済を生み出した。

ギリシア文字についても見てみよう。西ローマを失ったものの、西ローマの帝冠を返納されて唯一のローマ帝国となった東ローマ帝国をビザンツ帝国と呼ぶとすれば、ギリシア語はビザンツ帝国の最も重要な公用語となっていく。こうして、ギリシア文字世界というべき独自の文化の世界が形成される。さらに、ギリシア文字をベースに創り出されたキリル文字が、侵入してきたスラヴ人やブルガリア人の教化のために用いられる。キリル文字がまずはバルカンのスラヴ人、トルコ系のブルガリア人、そしてさらにビザンツ帝国の版図を越えて、黒海北方のスラヴ人のキエフ公国、モスクワ大公国へと伝わっていくなかで、ギリシア・キリル文字世界といえるものが育っていった。

そして、一四五三年に帝都コンスタンティノポリス（コンスタンティノープル）がトルコ系ムスリムのオスマン帝国に征服されてビザンツ帝国が滅亡した後は、ビザンツ世界としてのギリシア・キリル文字世界であったものは、重心を北方、モスクワ大公国に移しながら東欧正教世界となる。それは、第二次世界大戦後の「東西冷戦」の際の「東欧」の中核ともなったのであった。

東欧正教世界は、東ローマ帝国を起源とするビザンツ世界の衣鉢を継ぎ、正教を奉じ、その中心となったロシアは、ツァーリ専制体制を生み出し、革命後は、世界で最初の共産主義体制を生み出した。

インダス文字からブラーフミー文字へ

人類の歴史上、メソポタミア、エジプトに続き、三番目に独自の文字が創り出されたのは、インド亜大陸の西北部インダス河の流域においてであった。

二〇世紀に入り、ハラッパー、そしてモヘンジョ・ダロで遺跡が発見され存在が明らかとなり、インダス文明と呼ばれるようになったこの文明は、独自の表意文字も創り出した。この文字はインダス文字と呼ばれる。この文字を創り出しインダス文明を担ったのは、今日ではインド南部に広く分布するドラヴィダ系の人びとであったと考えられている。

しかし、末裔がいるにもかかわらず、インダス文字で残されているのは印章など短いものにとどまり長文のものが残されていないこと、そしてさらに既知の言語との対訳文書もまったくないことから未解読のままである。しかも、不思議なことに紀元前一五〇〇年頃にインダス文明は消滅してしまい、インダス文字も死文字となってしまう。

その原因も、かつては北方からの印欧系アーリア人の侵入によるといわれてきたが、現在では否定され、消滅の原因は不明のままである。ただ、ドラヴィダ語は、シュメール語や日本語と同じく膠着語系の言語で、そこから、日本語学者として高名だった故大野晋(おおのすすむ)先生は、ドラヴィダ語系の有力な言語の一つであるタミール語に日本語の起源を求め、共通の基本語彙の存在を主張したが、専門家一般の承認を得るに至っていない。

インダス文明が消滅して数世紀を経た頃、西北方より印欧系のアーリア人がインドに入り、『ヴェーダ』を聖典として仰ぎ、バラモン教を奉じ独自の文化を生み出しはじめた。そして紀元前四世紀頃に台頭したマウリア朝は、南端を除くインド亜大陸の大半を統一した。その頃にようやく独自の文字をもつに至った。

最初期の文字は、カロシュティー文字と呼ばれ、フェニキア文字から派生したセム系のアラム人のアラム文字をベースにしたことが認められているが、この文字はまもなく廃れた。これについで現れたのが、ブラーフミー文字である。サンスクリットはこの文字で記され、サンスクリットの俗化したプラクリットも、さらに俗化したパーリ語もすべてブラーフミー文字起源の文字で記された。現代のインド共和国の公用語であるヒンドゥー語で使われるデーヴァナーガリー文字もその子孫である。そして、今日、インド北方のネパール、ブータンでも、そして南方のスリランカ、さらにまた東南アジアのインドシナ半島大陸部の上座部仏教国ビルマ、タイ、ラオス、カンボジアでも、この系統の文字が用いられている。我が国では、この系統の文字が梵字として知られており、本書では、ブラーフミー文字起源の文字系を総称して梵字と呼びたい。

なお、ブラーフミー文字の起源については論争があり、欧米系の研究者は、アラム文字がベースになったとする。しかし、インドの研究者は、オリジナルだとし、論争は続いているが、ここではやはりブラーフミー文字は、アラム文字をベースに成立したとみておきたい。

起源問題はさておき、梵字系、すなわちブラーフミー文字系の文字は、南アジア・東南アジア・ヒンドゥー・仏教世界ともいうべき梵字世界をなしてきた。ヒンドゥー教が支配的でサンスクリットを聖典の言語とするインド、上座部仏教を奉じパーリ語を聖典の言語とするインド東南方のスリランカ、インドシナ半島大陸部のビルマ、タイ、ラオス、カンボジア、そして政治的には中国との関わりが大きいが宗教的には密教を奉ずるチベットで受容された。

梵字世界は、バラモン教を軸に形成発展し、今日でも、インドはバラモン教の発展したヒンドゥー教の世界となっているが、バラモン教の改革派の一つである仏教は、シルクロードを通り中国に伝来し、朝鮮半島経由で日本に入り、圧倒的多数の信仰を集めている。また、独特のインド数字と零の概念を生み出したことにも注目したい。アラビア文字世界としてのイスラム世界経由で西欧世界に入り、アラビア数字の名を得たが、その起源は梵字世界なのである。

漢字と漢字世界

かつての世界四大文明のなかで最後に現れたのは、東アジアの黄河流域の漢字であった。漢字の源流は、甲骨に占いについての文を刻み込むのに用いられた甲骨文字であり、これが金文となった。木簡や竹簡にはじめは刻み込まれ、のちには墨と筆で書かれるようになり、篆書（大篆）が生まれた。秦により篆書は小篆となり、隷書も秦式の隷書に統一され、後漢で楷書が生まれ、世々受け継がれた。

ヴェトナムは、インドシナ半島東端にあって地理的・生態的環境は東南アジアに属するが、漢代以来、唐末まで中国の植民地支配下にあった。周辺の朝鮮半島、日本、そしてはるか遅れて琉球とともに漢文、漢語とあわせて漢字が受容され、東アジア・儒教・仏教世界というべき独自の文化をもつ世界を創り出した。朝鮮半島がハングル化、ヴェトナムがラテン文字化した後も、語彙的には漢語が過半をこえ漢字圏たるを保っている。

興味深いことに、「旧世界」の原初の四大文字世界の四文字のうち、インダス文字と楔形文字はまったくの死文字となり、子孫も残さなかった。エジプトのヒエログリフ自体は死文字と化したが、その簡略体のシナイ文字が表音文字化してフェニキア人に受容された。その後、西方のギリシア文字、ラテン文字、そして東方の梵字、そして次に述べるアラビア文字となり、多くの子孫をもった。

これに対し、漢字は、甲骨文字以来、発展をとげつつ定着し、四大文字中、本来の姿で今も用いられている唯一の例外なのである。

漢字世界の中心となった中国は、漢字を生み出し、エリート選抜法として科挙を生み出し、食の作法としては箸食を生み出した。我が日本もまた、漢字を受容し、漢文と漢語を受容し、漢字世界の周辺の一社会となった。同じ周辺社会でも、朝鮮半島とヴェトナムは、科挙を受け容れたのに対し、日本に科挙は入らなかった。しかし、食の作法としての箸食は、今日もしっかりと定着している。

新しい文字世界としてのアラビア文字世界

今日の世界を見わたすと、「旧世界」には、ラテン文字圏、ギリシア・キリル文字圏、漢字圏、梵字圏がある。この四大文字圏に加えて、西は大西洋岸から東は太平洋岸まで、北は中央アジア、ロシア平原から、南はサハラ以南のアフリカの東西沿岸地域にまで拡がるアラビア文字圏がある。

このアラビア文字圏は、新たに成立した文字世界であった。七世紀初頭、アラビア半島のメッカで、セム系のアラビア語を母語とするアラブ人のムハンマドによって創始されたのがイスラムである。三大一神教の最新のものであるイスラムを核にするこの文字世界は、七世紀中葉から八世紀中葉にかけての「アラブの大征服」で、かつてのローマ帝国の南半や、ヘレニズム系王朝の崩壊後、ゾロアスター教を奉ずるパルティア、ササン朝ペルシアの下でパフレヴィー文字世界となっていた地域を包摂して、まったく新たに成立した。

文字と文字世界

以上、五つの文字文化圏について簡単に紹介した。

音声としての言語を可視的に定着させる媒体としての文字は、何よりもコミュニケーションにかかわる文明の最重要要素である。しかし音声言語とは異なり、文字は、四大文字だけではないにしても、かなり限られた地域にのみ生まれた。しかも、その諸文字のなかで、広大な地域を包摂する空間で支配的となった文字は、さらに限られていた。そして、そのような空間では、その中心をなす人間集団の母語を起源とする言語が、文明について語られる共通語としての文明語だけでなく、文化について語るときに用いられる共通語としての文化語の性格を帯びた。

文字と文化・文明語の受容は、語彙の広汎な受容をもともなう。語彙の受容は、思考と表現の媒体の受容であり、文字を共有する空間は、文化的にも共通の特性を示す独自の世界としての文字世界を創出した。

そして、「大航海」時代以降、西欧人を原動力とする、全地球上の人類社会を包摂する唯一のグローバル・システム形成というグローバリゼーションの新段階を迎える。このことにより、諸文字世界の帯びていた相対的自己完結性は、西欧世界自体を含めて解消されていったものの、今日においても、大文字圏、大文化圏として相対的差異性を保っている。そのことは、近代文明の基礎としての科学の共有にもかかわらず残る、宗教の分立にも鮮明に表れているのである。

さて、人類は、ことばをもつとともに、経験知を積み重ね、さらに、「なぜか」「何をすべきか」についても思考をめぐらすようになる。個々の経験知に加えて、それらの少なくとも一部を整序するとともに、「なぜか」「何をすべきか」の問いへの答えも包摂する、知の体系としての「体系知」を創り出しはじめたことであろう。

次章では、人類の原初における唯一の「体系知」が、我々が「宗教」と呼ぶものと、我々が「科学」と呼ぶものとに分離していった過程をたどってみることとしよう。というのも、今日、我々が「宗教」と呼ぶものは、人類の「文化」の核心の一つをなし、「科学」は「文明」とりわけ外的世界にかかわる「文明」の発展において決定的な役割を、果たしてきたからである。

第三章　知の体系の分化——宗教と科学と

言語・文字と知の体系

さてまず、「知」というものに立ち戻ると、「知」は、人間特有ともいえないかもしれない。動物にも、本能によるだけではなく、体験と学習による個別的な経験知は、ある程度、積み重なっているかもしれない。そしてそれが、老練な老魚に、釣り針につけられた餌を避けさせ、老成した獣に、人間の仕掛けた罠を見破らせるのかもしれない。こういうことは、人間を創られたのは神様で、はじめから人間と動物とは違うのだなどとは考えずに、動物の研究を進めていかなければ、確かなことはわからないであろう。

とはいえ、人間の「知」の集積は凡百の動物をはるかにこえていた。そのことが伝承され集積していくための媒体の発達をうながし、他の動物にはみられないほどに体系的に発達したコミュニケーションの媒体としての「人間の言語」に到達したのであろう。さらには、その延長線上で、言語を可視的に定着する媒体としての「文字」をも創り出すに至ったのであろう。

個別的経験知と体系的な知と

「知」(knowledge) のなかでも、個別的な体験を通じて積み重ねられる個別的経験知なら、動物ももっているかもしれない。人類も、理屈づけはさておき、原初はそうであったろう。この草は食べても大丈夫だが、この草は危ない、この木の実は、青いうちはひどくすっぱいが赤くなると甘くなるといったところから始まったことであろう。個別的経験知については、類人猿はもちろんのこと、猿でも人類と同じく共有していることであろう。ところが、この草は身体の特定の故障に効くといった知識が集積してくると、人類の独壇場となり、今でいえば民間医薬となる。さらに、数々の物質の薬効についての個別的な経験知が集積すると漢方薬の世界となり、しかも、なぜ身体にいろいろと故障が起こるのか、なぜある薬草が効くのかを体系的に証明しようとしだすと、個別的な経験知をこえた個別分野の知の体系として漢方医学となる。

もっとも、薬草と薬効についての知識は、体系知としての漢方医学にまでなったが、そうはならないものもある。その適例は、もの作りの職人の技であろう。職人の技も、現代の最新の測定技術を用いれば、定性的にこの素材を、この温度で、この力を加えればよいといえるようになってきてはいる。実際、職人技の典型にみえる握り寿司についても、「しゃり」の処理は、酢飯に空気をうまく混ぜつつ成形するのがコツだそうだが、最近ではロボットがかなりうまく実現できるようになっているという。しかし、それはごく近年のことで、職人の技は、長年の伝統のなかでつかみとっていくものと考えられてきた。こうして得られる「知」は、あくまで個別的な経験知であったのである。さまざまの芸についての知も、まさに個別的経験知の世界としてなりたってきた。

しかし、人類は、知力が進化していくなかで、世界をよりトータルに体系的にとらえようとする欲求をもつに至った。そのような試みをまず担ったのが、今日、我々が神官などと呼ぶ人びとであったであろう。今日の我々は、「神官」というと、彼らをもっぱら宗教にかかわる者のようにとらえがちである。だが、同時代の人びとにとっては、今日、我が「神官」ととらえる人びとのもつ「知」は、この世界についてのトータルな知の体系そのものであったことであろう。

自然的世界と超自然的世界の渾然一体

今日、我々の大多数は、この世界を考えるにあたり、経験的に直接観察し計測しうる「自然的世界」と、その埒（らち）をこえた「超自然的世界」を峻別（しゅんべつ）している。そして、「自然的世界」についての体系的な知を「科学」と名づけ、「超自然的世界」の存在を前提とする知の体系を「宗教」と名づけている。しかし、「自然的世界」と「超自然的世界」が整然と分かたれ、知の体系についても、前者についての「科学」と、後者の存在を前提とする「宗教」がほぼ完全に分離したのも、ここ数世紀のこと、それも一七世紀から一九世紀にかけての西欧世界においてであった。

太古の人びとにとって、この世界は、今日の我々からみれば「超自然的世界」と「自然的世界」が渾然と一体をなしたものであった。そして、この「超自然的世界」と「自然的世界」が観念上、一体をなしている世界についての体系知をもつのが、今日我々が神官と呼ぶ者であったといえよう。経験的に観測しうる天体の運行についての知識と、そこから導き出される暦も、天体の運行に帰せられる吉兆凶兆の知識も、神官の司るところであったであろう。天体に関する知の体系は、現代の我々が自然科学として認める「天文学」と、現代の我々の少なくとも多くが「迷信」と信ずる「占星術」が一体をなしていたのである。

実際、ヒエログリフ世界としてのエジプトでは、正確な天体観測に基づき、きわめて正確な太陽暦を編みだした。そして、エジプト生まれの太陽暦は、ローマのユリウス・カエサルによってローマに受容されてユリウス暦となり、ラテン文字世界でも一六世紀に修正されてグレゴリオ暦が生まれるまで、用いられた。

ユリウス暦は、英国では、一八世紀初頭まで用いられた。ギリシア・キリル文字世界としての東欧正教世界の中心となったロシアでは、ロシア革命の後にようやくグレゴリオ暦が西暦として受容された。それで一九一七年のロシア革命も、その端緒になった西暦の三月の第一次革命を「三月革命」とは呼ばず「二月革命」と呼び、西暦一一月に起こったボルシェヴィキ革命を「十一月革命」とは呼ばずに「十月革命」と呼ぶのである。

「前近代」のアラビア文字世界最後のスンナ派のイスラム的世界帝国となったオスマン帝国でも、純粋な太陰暦のヒジュラ暦、すなわちイスラム暦は年に三五四日または三五五日しかなく四季のめぐりとは関係がなく、農民からの税収が基礎をなす財政運営には不便このうえなかった。そのため、イスラム暦とともに、これと並んで、エジプト起源の太陽暦であるユリウス暦を、「タクヴィム・ルーミー」すなわち「ローマ暦」と呼んで、財政上は用いていた。これほど精緻な暦を生み出したエジプトでも、他方では、王であるファラオは、太陽神の化身とされ、あがめられていた。

漢字世界の淵源をなし、長らくその中心であった中国でも、一方では天体の実際的観測によって精緻な太陰太陽暦が生み出され、中国に朝貢を許された朝貢国には、中国の暦を受け容れ、中国の年号を用いることが要求された。これは、我々のいう「天文学」の成果による。しかし、他方では、天命をうけて人びとの秩序を守るべき天子はまた、森羅万象の秩序の責任者ともみなされ、天変地異もまた天子の責に帰せられると考えられた。中国においても、「自然的世界」の秩序は、超自然的なものと直接に結びつけられていたのである。

人の世の浮沈、個々人の運命にもまた、今日の我々からみれば「超自然的」なものがかかわり、その運命もまた、特殊な能力をもつ者が特殊な技を用いて知りうるとされた。中国の甲骨文字を生んだ卜占(ぼくせん)はその典型である。そして、後には人の世と人の運命を知る秘伝として、「易」が生まれた。易の原理を説く『易経』は「四書五経」の一つとして、儒学の経典の一つとなった。

星占いの伝播

メソポタミアに起源をもつ「星占い」は、「旧世界」の東西へと伝播(でんぱ)していった。そして、イスラム世界にも定着し、オスマン帝国の天文官(ムネッジム・バシュ)は、今日の用語でいえば「天文学者」であるとともに、「占星術師」でもあった。そして、初期のオスマン朝で編まれた「タクヴィム」すなわち暦には、占星術的意味もこめられていたかにみえる。オスマン帝国における「占星術」の影響は、一九世紀前半に入り、近代西欧モデルの体系的受容による「西洋化」改革が断固として進められはじめた第三〇代マフムート二世時代にも及んだ。当時、オスマン帝国に「お雇い外国人」として仕え、後にはプロイセンによるドイツ統一を支えた陸軍軍人モルトケは回顧録のなかで次のように紹介している。中央政府に反抗してアナトリアをめざしたエジプト総督ムハンマド・アリーの軍勢の迎撃に際し、占星術師が星の吉凶をみて即戦を避けるよう提示したために、長期の旅程で疲弊したムハンマド・アリー軍に休養の間を与えた。その結果、オスマン帝国中央軍は敗戦したという。

占い一般は、漢字世界末端の日本でも、とりわけ平安時代には、皇族貴族の中心的関心の一つであった。外出するにも吉凶を占って判断して、凶の方向を避ける「かたたがえ」も通例化した。そして、占いは、「陰陽道（おんみょうどう）」として正規の学問として認められ、その専門家として、公式の官職としての「陰陽博士」等が置かれた。近年、夢枕獏先生の小説で名高くなった安倍晴明（あべのせいめい）は、名声を博した陰陽家であった。

星占いは、ラテン文字世界としての西欧世界にも伝来したが、カトリック教会により異端的とされ、公式の制度化はなかった。しかし、民間では盛行し、「開国」後の日本にも流入して、今日でも週刊誌などには、その週の星回りの吉凶のコラムさえ連載されている。占いのうちでも、旧世界の東西ともにみられる「観相術」の場合は、容貌に基づく性格適性判断の面もあり、部分的には科学たりえよう。しかし、手相術となると、この点ではかなりあいまいとなる。

今日の目からみての「超自然的世界」と、「自然的世界」が渾然一体をなしていた頃、神官は、凶を祓（はら）い吉を招くことも重要な任務であり、特別の祭事をもってなしうることとなっていた。その名残りが、我が国の神社における「お祓い」である。さらに、凶をもたらす者にとりつかれた人から、これを祓うことも、重要な役割であった。現代の我が国においてさえ、いわゆる「新興宗教」の信者のなかには、信ずる方もおり、術者もほんとうに魔を祓おうとやりすぎて、過失傷害致死傷罪に問われることさえある。

また、驚くことに、現代人の目からみても、真正の宗教中の宗教と目されるキリスト教のカトリック教会では、有資格の神父様は、ほんとうに「悪魔祓い」をなさるのだという。かつて反響を呼んだ映画『エクソシスト』の世界である。

「超自然的世界」と「自然的世界」の混在する世界のイメージは、諸物に霊の存在を認めるアニミズムの世界にも通ずる。日本政治思想史の巨匠丸山眞男先生が日本の思想の持続低音とされた「成る世界」も、じつは、漢字世界の辺境の日本では、アニミズム的世界観が清算されていないところへ、先進地域から仏教・儒教がつぎつぎに伝播したが、アニミズム的自然観が残りつづけたことを指しているのではなかろうか。このアニミズム的自然観は、「さざれ石の巌となりて」の我が国歌「君が代」にも端的に表れている。

万物に宿るとされる精霊は、公式には上座部仏教国であるタイでも強く残り、ピーと呼ばれ、崇拝の対象となっている。否、天地しろしめす唯一神アッラーの世界であるはずのアラビア文字世界としてのイスラム世界でも、ジンなる精霊の実在は認められており、善悪両様の精霊ジンのいる世界で、悪霊としてのジンにとり憑かれた人が、精神障害の患者であるとされ、彼らは、「マジュヌーン」すなわち「ジンに憑かれた人」と呼ばれる。

このように、原初、我々の目からみての「自然的世界」と「超自然的世界」が渾然と一体をなしていた世界において、唯一の体系知は、今日の我々がいう神官の司るところであったといえよう。それは今日の目からみれば、「超自然的なもの」の存在を前提としてなりたつ「宗教」そのものであったであろう。しかし、「超自然的世界」の存在を許容するなかでも、個別的経験知が集約されるようになり、とりあえずは「自然的世界」内における諸事象についての知の体系化がはじまる。これを「科学」と呼んではいかがだろうか。

ギリシア、アラビア、近代科学

今日、「科学」とは、「自然的世界についての経験的に観察し検証しうる知識の体系」と定義しうるだろう。そして、このような「科学」の形成発展において、大きな役割を果たしたのが地中海ギリシア・ラテン文字世界の淵源となったギリシアであった。

すでに楔形文字世界とヒエログリフ世界で蓄積されてきた膨大な知識を体系的に整理する試みは、とりわけギリシアにおいて進みはじめた。そして、アレクサンダー大王の東征後におけるいわゆる「ヘレニズム」時代に一層の発展をみた。今日に通用するピタゴラスの定理も生まれ、ユークリッドの『原論』が著され、図形の性質についての数学的処理としての幾何学が原初的に発達した。ものの性質についても、幼稚ながら原子論が生まれ、「比重」の概念をもたらすアルキメデスの原理も生まれた。

医学についても、それまでの個別的経験知の体系化が試みられ、ヒッポクラテスを先駆として、ガレノスにおいて体系化をみた。ただ、ガレノスの医学の基礎は、人体は、「血液」「粘液」「黄胆汁」「黒胆汁」の「四体液」からなっているというものだった。「四体液」が均衡を保っている状況が「健康状態」であり、この均衡が損なわれた状態が病的状態であり、「四体液」の均衡を回復させる術が、医学であるとした。今日の目からみれば、はなはだ奇異な理論であった。しかし一方で、たいていの疾病の原因は、もはや神や悪魔や悪霊のもたらすものではなく、「自然的世界」内の因果関係に求められた。その治療もまた、「超自然的世界」に頼る祈禱やお祓いではなく、「自然的世界」内の物質による投薬治療に求められたのである。

このことは、「超自然的世界」の存在を前提とする、今日我々が「宗教」と呼ぶ知の体系と、「自然的世界」内での観察による検証に基づく知の体系、すなわち今日、我々が「科学」と呼ぶ知の体系との分化が進行しはじめたことを意味する。もっとも、生物の生殖などについては、ギリシア・ヘレニズム期における最大の哲学者にして科学者アリストテレスでさえ、観察に基づかない奇妙な所説を提示している。

「自然的世界」内における体系知の探究は、さらにアラビア文字世界としてのイスラム世界で、とりわけアッバース朝時代に、ギリシア語古典のギリシア語原典、もしくはシリア語訳からのアラビア語への翻訳活動が精力的に進められたことにより、著しい進展をみた。代数学が体系的に発展し、アラビア語文献のラテン語訳を通して西欧世界にも大きな影響を与えた。代数学の学問の名もアラビア語起源のアルジェブラとなった。この発展に寄与したのは、アラビア文字世界でインド数字とインドで発明された零の概念が受け容れられて、今日のアラビア数字の原型が成立したことであった。これにより位取りによる記数法が可能となった。そして、西欧世界では、この数字と記数法が受容され、今日、我々がアラビア数字と呼ぶものとなった。

天文学も著しく発達し、実証的天体観測による暦が作製された。とはいえ、イスラム世界では、このような経験的観測に基づく天文学の発達にもかかわらず、宗教的に原理的な立場にたつ人びとによれば、天体の運行もすべては本質的には唯一神アッラーの御意思に基づくものとされた。すべての天文学の法則も、アッラーの御意思によってはすべて御破算になりうるのである。そもそも太陽が東から昇り西に沈むのもアッラーの御意思があればこそで、アッラーの御意思が変われば、日が西から昇り東に沈むこともありうることだとさえされたのである。

医学もまた、イスラム世界で著しく発展した。一〇～一一世紀に生きたイブン・スィーナーの『医学典範』は、ラテン語訳されて西欧世界に受容された。西欧世界の大学の医学部では、一七世紀に至るまで、この『医学典範』のラテン語訳が基本的な教科書として用いられたといわれる。しかし、個別的経験知を支えるイスラム医学の理論体系としては、ギリシア・ヘレニズム以来のガレノスの「四体液」均衡説がとられている。そして、健康食論では、食物には暖性の食物と寒性の食物があり、そのバランスと季節による適性が重要であるとされ、今日の「科学的」医学からいえば、かなり奇妙な原理によっていたのであった。

物質の性質についての探究も進み、その成果は、アル・キミヤーの名の下に体系化され、これもまたアラビア語文献のラテン語訳を介して、西欧世界に受容され、そのアラビア語の名称もまたそのまま受容されて、今日「化学」をさすケミストリーの語源となった。

とはいえ、イスラム世界の「アル・キミヤー」は今日の目でみると、科学的「化学」と、今日では擬似科学となってしまった「錬金術」の混合したものであった。ある秘術を見出せば、銅も金と化しうるものと考えられた。そして、このような混合状態は西欧世界でも長く続いた。近代西欧の近代物理学、近代力学の創始者とされるニュートンも、他方では、錬金術を信じこんでおり、多大の時間を錬金術の探求に費やしていたことが、近代経済学の巨匠ケインズの趣味的研究から明らかとなっている。

そもそも、我々が「科学」と呼んでいる「近代科学」を生み出した西欧世界においても、「超自然的世界」と神の存在は、根本的な前提であった。そして、キリスト教の聖典である『聖書』は絶対的真理であり、カトリック教会の教義は絶対的大前提であった。この前提に立てば、物理法則が成り立つのも神の御意思次第との説となり、カトリック教会の教義に反する立場は、すべて異端であるはずであった。それ故、教会のとる天動説に反する地動説を唱えたガリレオ・ガリレイは異端として告発され、刑罰を免れるために、地動説を放棄せざるをえなくなった。「それでも地球は動く」とつぶやいたとも伝えられる。

しかし、一六世紀から一八世紀にかけて、一方では宗教改革の進展によって、他方では世俗的権力側の合理化の進展として絶対王政が形成されて、教会の権威が衰えていく。そのようななかで、唯一絶対で天地を創造した神の存在は前提としながら、神がひとたび天地を創造した後は、この地上の自然的世界の秩序には干渉なさらないであろうという「理神論」が現れる。自然現象についての法則が成り立つか否かもすべて神の御意思というような考えに対抗するようになった。

理神論では、「自然的世界」は「超自然的世界」と区別され、「自然的世界」としての独自の法則に従うというかたちで、すべてを統べるとされてきた体系知としての「宗教」からの「自然的世界」についての経験的観察に基づく「科学」の分離は決定的となっていった。こうした分離過程と並行して進行していったのが、「宗教」のかかわる領域の限定化であった。

内面的信仰としての宗教へ

「超自然的世界」と「自然的世界」が渾然として一体をなしていた世界が、次第に、「超自然的世界」と「自然的世界」へと分離し、唯一の体系知もまた、「超自然」的存在を前提とする知の体系と、「自然的世界」限りでの知の体系へと分離していく。そして、現代の我々は前者を「宗教」と呼び、後者を「科学」と呼ぶ。

現今では、「宗教」の領域は、かつてにくらべきわめて限定される。あくまで人間の内面にかかわるものとして、世界と人間存在の意味を説き、人間の踏み行うべき規範を示し、人びとの心に平安と癒しをもたらし、救いへの道を示すものとなったといえよう。そして、宗教のもたらす規範と平安と癒しは、人間の内的世界、ミクロ・コスモスの部分に深くかかわり、文明の一端としての性格を有している。

しかし、世界と人間存在の意味と、規範と平安と癒しと救いのあり方は宗教によって大きく異なっており、それはまた「文化」の重要要素でもある。唯一絶対の創造神をもつユダヤ教、キリスト教、イスラムと、そのような唯一絶対の創造神を想定しないヒンドゥー教や仏教では、世界と人間存在の意味自体が異なる。

宗教に基づく人の踏み行うべき規範は、「戒律」と呼びえようが、同じ一神教でも、ユダヤ教とイスラムは特に厳しい戒律をもつ。ユダヤ教のトーラーとイスラムのシャリーアは、実社会で裁判規範となる法律的部分をも含んでいる。シャリーアが、しばしば「イスラム『法』」と訳されるゆえんであろう。

これに対し、ユダヤ教の改革派ともいうべきキリスト教は、このような厳しい戒律をほとんどもたず、戒律のなかに法律的部分が含まれることも本来はない。一神教でない、バラモン教・ヒンドゥー教と、バラモン教の改革派というべき仏教でも、バラモン教・ヒンドゥー教はダルマと呼ばれる厳しい戒律を有し、そのなかに裁判規範となりうる法律的部分を含んでいるのに対し、仏教は、バラモン教のダルマのような法律的部分まで含む厳しい戒律体系はもたない。

同じ一神教でも、イスラムとユダヤ教では、聖俗、政教は一元である。もっとも、ユダヤ教の場合は、ユダヤ王国が滅亡した後、一九四八年にイスラエル共和国が建国されるまで、ハザール王国を除けばユダヤ国家をもたなかった。そのため、政教一元の原理が実現されうる場をもてなかったのである。イスラエル共和国も、少なくとも当初は「ユダヤ国家」とはいっても、「ユダヤ『教』国家」としてではなく、「世俗的ユダヤ『民族』国家」として建国されたため、ユダヤ教国家を志向する政治勢力は存在するが、未だ「ユダヤ『教』国家」たるを得ていない。

これに対し、イスラムの場合、その創始者たる預言者ムハンマドがメディナで政治権力を握って以来、政教一元が原則であり、今日に至るも、スンナ派のサウディ・アラビア、シーア派のイラン・イスラーム共和国などで、実体として存続している。

西欧キリスト教世界にあっても、その「中世」においては、政教は不分離であった。もともと、キリスト教では、元来は「カイゼルのものはカイゼルに、神のものは神に」であり、政教は一体をなすものではなかった。しかし、後にローマ帝国がキリスト教に接近し国教化して関係を深め、西欧キリスト教世界が成立した後は、カトリック教会と政治権力は、両権論なる議論はあるものの、ほとんど一体化するに至った。

もっとも、この一体性は、イスラムにおけるように原初から解き分けることができぬような一元性ではなかった。喩えれば、イスラムの場合は、「教」をイスラムの聖なる色である緑の溶けたガラス、「政」を白の溶けたガラスとすれば、この二つが溶けた状態で一体化したようなものであった。これに対し、キリスト教の場合は、「教」は赤い糸、「政」は白い糸のようなもので、「中世」西欧の「政教の一体」は、「教」の赤い糸と「政」の白い糸をより合わせたようなものであった。そこで、「近世」から「近代」にかけて、政治権力が教権を圧倒するようになるなかで、「政教一体」はほころびはじめ、とりわけ「市民革命」後は、政教分離が原則となっていった。

そのなかで、宗教は、もはや政治権力の支柱、社会秩序の土台ではなく、あくまで個人の内面にかかわる信仰として位置づけられるようになっていった。こうして、太古には、「超自然的世界」と「自然的世界」が渾然と一体をなして一つの世界と観念されていた頃の唯一の体系知は、個人の内面的信仰へとその守備範囲を著しく縮小していったのである。

そして、近代西欧が文明の圧倒的多くの分野でイノヴェーションの源泉となっていくなかで、政教分離の世俗国家モデルもまた、グローバル・スタンダード化し、もはや相対的自己完結性は失ったとはいえなお独特の文化的特色をもつイスラム圏内においても、アタテュルクのトルコ共和国のごとき世俗的民族国家が生まれることとなった。我が日本の場合は、「明治維新」以後、神道を「国家神道」化し、政教一元ではないにせよ、政教一体の体制を「国体」としようとしたものの、第二次世界大戦で敗れて、新憲法上は、「世俗的国民国家」たることが理念上は原則となった。

科学による反証

「自然的世界」に関する経験的観察に基づく体系知としての「科学」の発展は、かつての人類の唯一の体系知であった今日我々が「宗教」と呼ぶものから、多くの分野の分離をひきおこした。この分離は、とりわけこの二、三世紀において、まずはマクロ・コスモスすなわち「外的世界」にかかわる文明の分野におけるイノヴェーションの中心的源泉となった西欧世界で進行した。

そして、かつて西欧世界の精神的支柱となってきたキリスト教の教義においても、天動説にかわり地動説が通説、のちには常識となった。天文学の発展により、宇宙の起源についても、少なくとも「創世記」のようではないことが解明されてきた。そして、人間の起源についても、一九世紀に入り考古学と生物学が発展していくなかで、神により一気に創造されたものではなく、長い生物進化の過程のなかで出現してきたものであることが証明された。疾病も一九世紀末以降、神の怒りなどによるものではなく、細菌、さらにはウイルスといった病源によることが明らかとなった。こうして、「自然的世界」についての宗教上の言説は、「科学」の発展によりつぎつぎと反証されてきた。

心の平静と癒しについても、心理学、精神医学、さらには精神分析の出現によって、超自然ベースではない方策が示されつつある。とりわけ現今では、「仏様」抜きの「禅」というべきマインドフルネスまで現れて、「超自然的世界」の存在を前提とする「宗教」の領域は、さらに狭められつつあるようにみえる。

人間のあるべき姿、踏み行うべき規範、「人倫」についても、「超自然的存在」を必ずしも前提としない、「世俗的」学問としての「倫理学」が確立した。

しかし、「科学」は、宇宙や人間の生成流転の過程は明らかにしえても、宇宙や人間存在の「意味」を問う者に対して答えを与えることはできない。そして、内的世界にかかわる文明も「共生の作法」を与えることはできても、倫理学も、絶対的な「人倫の基い」を与えることはできないであろう。そして、また、いかなる「科学」も「文明」も、人間に「心の救い」とりわけ「死後の世界における救い」を与えることはできないであろう。考えるに、「宗教」は「意味」と「救い」を与えるものとして、かつての唯一の体系知とはまったく異なるかたちでその領域を守りうるのではなかろうか。

個別科学と体系知としての哲学と

これまで、唯一の「体系知」としての「宗教」からの、「科学」の分離過程について述べてきた。その結果、分離独立してきた諸科学は、「経験的観察によって検証しうる」という原則は共有するものの、あくまで、個々別々の諸科学である。そこには、かつての人類の唯一の体系知であった「宗教」のような体系性はない。

しかし、そのようななかで、「超自然的世界」の存在を必ずしも前提とせずに、人間の「知」の体系性を担保することが期待されたのが、「哲学」であったのではなかろうか。もっとも哲学を「人間とは何か」を知る試みとすれば、それは古えのギリシアのソクラテスとともに古い。しかし、「宗教」の守備範囲を極限にまで拡げてしまったラテン文字世界としての西欧世界では、その「中世」において、「哲学は神学の婢女(はしため)」とされ、神学的理論の補助軸のように考えられた。そして、イスラム世界では、「神は何を求めるか」を知るためのシャリーアについての学こそ王道で、「なぜ」を問う「哲学」は、時に「人間のさかしら」として忌まれさえしたのであった。

西欧世界で「哲学」が「神学」にとってかわって、学問の首位を占めるようになったのは、「世俗化」が進みはじめた「近世」以降のことだった。まず、「認識」の主体としての「個」が限定された。「我思う、故に我あり」である。そして、その個による認識についてでは、カントの認識論がこれを体系的に解明した。そして、ヘーゲルは人類の「世界史」の流れを理性の展開過程としてとらえ、近代西欧をその最高段階においた。しかしヘーゲルの『歴史哲学講義』における言説は、西欧中心的な世界史の曲解であろう。

一体に、近代西欧における「哲学」的認識論においては、人間に特有のものとしての「理性」の存在を前提としている。しかし、それは、一神教的創造論の影響といえるように思われるのである。すなわち、神は人間を動物とはまったく異なる生き物として創造し、人間にのみ理性を与えたという前提である。しかし、人間の「理性」なるものは、ほんとうに人間のみに特有の特質なのであろうか。そもそも、今日では、動物行動学、生態学などの研究から、人間のみに特有なものははたして何かまでが問われつつあるのである。

ひるがえって、創世記をもつ一神教的伝統ぬきに考えれば、当然の「実在」として人間に特有のものとして前提とされている「人間の理性」なるものは、人類が現在のところ到達している「認知能力」の段階ととらえるべきなのではなかろうか。もし、このような定義が可能であるとすれば、人の「理性」なるものは、たしかに認知能力の高度に発展した段階であるにはちがいないが、長い生物の進化の過程のなかで育まれてきた連続性をもつものということになるのではなかろうか。もっとも、これも人間についてのみでなく、動物についての認知科学の一層の発展によってのみ解きうる課題であろう。

こうみてくると、哲学についても、少なくとも、認識論については、そのかなりの部分は、個別科学としての認知科学によって分離されうるのではなかろうか。

また、存在論についても、かなりの部分は物理学の領域となりつつあるかにみえる。さらに、いわゆる「歴史哲学」なるものも、イスラム世界を代表する「歴史哲学者」とよくいわれるイブン・ハルドゥーンも、その『歴史序説』をみれば、巨視的世界史、ないしは、王朝・国家興亡の歴史社会学というべきもので、あえて「哲学」と名づけるには及ばぬものにみえる。また、第一次世界大戦後の西欧世界の読書人たちに衝撃を与えた、オズワルト・シュペングラーの『西洋の没落』も、これまた巨視的な世界史観、ないしは、比較文化論と位置づけうる。

さらにまた、「歴史とは何か」「歴史認識とは何か」を問う「歴史哲学」も、あえて「哲学」と呼ばずとも、歴史認識論、史学方法論の範疇のものといえるのではあるまいか。

こうしてみていくと、そもそも「哲学」とはいかなるものであるべきかの定義によって意見が異なるであろうし、素人考えではあるが、かつて人類の知の体系において「宗教」の領域が、「超自然的世界」の存在を前提としない「諸科学」の誕生と発展によって次第に狭められていったように、「哲学」の領域もまた、次第に個別科学、ないしは、個別的「学問 Wissenschaft」の誕生と発展によって、狭められつつあるのではなかろうか。

とはいえ、個別諸「科学 science」、個別諸「学問 Wissenschaft」は、あくまで個別的であり、これらを総合的に位置づけ、統合する機能は今のところもちえない。これも素人考えではあるが、かつて「宗教」が人類の体系知そのものであったように、定義づけにもよるが、哲学の個別的諸「科学」、諸「学問」を統合して体系化する知的営為としての役割は、保ちうるのではなかろうか。

さて、本章では人類の知の体系の発展と、「自然的世界」についての検証可能な「体系知」としての科学の誕生、発展についてみてきた。そして、「科学」が、人類の文明、とりわけ「外的世界」についてのハードの文明の発展にとって、決定的な重要性をもっていたことは、明らかである。

次章では、人類が独自の発展段階にまで到達させた、ソフトの文明技術の典型というべき「組織」について少し述べてみたい。

第四章　文明としての組織　文化としての組織

メガ・マシーンとしての支配組織

人類が、地球上で他の生物を圧倒して、生物界で覇権を握った要因の一つは、道具の広汎な使用であろう。いま一つは、思考力の発達であろう。そして、本章で取り上げる、組織の構築であろう。組織は人類の文明の基本要素の一つなのである。

もっとも、組織がチェスター・バーナードのいうように、「目標達成のための協働のシステム」であるとすれば、意思ある個体が二つ以上存在すれば成り立つのであり、センチコガネのくそ玉作りもそのうちに入る。陸の肉食生物のライオンや狼がグループで獲物を狩るのも、海の肉食生物のシャチがグループで鯨を襲うのも、組織ではある。

人間も、まずはグループで狩りをしたことであろう。しかし、人間は、狩猟採集から農耕に移ると、本能に基づく動物の組織とは根本的に異なるそれをつくりはじめる。まずは、多くの人間が集住するようになると、内部の秩序を保つシステムが必要となる。外からの攻撃・侵略に対抗する手段も必要となってくる。さらに、生産を確保し、拡大するために、大規模な開発をしようということになると、これを遂行しシステムを維持するための大型の組織が必要となってくる。とりわけ、ティグリス・ユーフラテスの両河やナイル河、そして黄河の治水、灌漑のためには、巨大な組織が必要となったことであろう。

こうしてできあがったのが、米国の文明批評家ルイス・マンフォードのいうところの人間を成素とするメガ・マシーン、すなわち巨大組織であった。大河の治水のためのメガ・マシーンが唯一人を頂点とするデスポット、すなわち専制君主の組織となったことをとらえて、カール・ウイットフォーゲルは「オリエンタル・デスポティズム（東洋的専制）」と呼んだ。ウイットフォーゲルは、ナチス・ドイツから米国に亡命して、共産党のリーダーから赤狩りのマッカーシズムの協力者になったが、社会学者でもあり中国研究者でもあった。彼の論を本書の文脈に照らし合わせれば、自然環境の制御と開発のための文明の営みが、文化的特色をもつ支配組織を生み出したことになる。

家族という組織――「血統の貴さ」か「家門の誉れ」か

人類が文明を進展させていくうえで、見えない機械として組織をつくり出していくときにその要員を提供したのは、まずは肉親の集団であったであろう。通例、「家族（ファミリー）」と呼ばれるこの集団は、その後も長らく組織づくりのモデルを提供した。しかし、この「家族」には文化によって規定されたさまざまのかたちがある。成立する組織は、文化の強い刻印を帯びつづけることになった。

「家族」とは、その定義からして元来は血縁に基づく集団のはずである。しかし、人類が地球上に拡がり、独自の文化を形成していくうちに「家族」のあり方も、文化により大きくかわっていった。

中国史の碩学（せきがく）であった内藤湖南（ないとうこなん）は、西洋や中国の家族は実際の血のつながりを重んじ、その誇りは「血統の貴さ」に拠るのに、我が日本の「家」が拠るところは「家門の誉（ほま）れ」であるとした。実際、西欧世界でも養子がとられることがあり、外から王が迎えられることもあるが、どこかで血のつながりを求められるのである。一六八八年、イギリスの「名誉革命」で、時の国王ジェームズ二世が廃されて、新たな王として、英国にとっては外国であるオランダからオレンジ公ウィリアムが招かれた。ウィリアム自身はチャールズ一世の外孫で、その妃のメアリは、追放されたジェームズ二世の娘で、共同統治の女王となった。革命のあとで心機一転、新国王を国外から迎えるときも、血のつながりが求められたのである。中国の場合、養子制度があるにはあるが、伝統的には血縁のない者を養子とすることは許されなかった。

それに対し、日本の場合、さすがに皇室、そして江戸時代の将軍の後継としては、血縁者であることが必須だった。しかし、江戸時代の大名家では、血縁のない者を養子に迎え跡を取らせることは一向にさしつかえなかった。武家も庶民も、血縁のない者を養子にとった。将棋所の長であった大橋家、伊藤家は、世襲といっても、「お城将棋」などがあって少なくとも幾分かの実力がなくてはならなかった。そのため、しばしば棋力の優れた弟子を婿養子に迎え名跡を継がせた。商家でも、男児がいないと、娘の婿に腕ききの番頭などをめあわせて養子とし、跡を継がせた。はては、娘もいないとなると、「取り嫁、取り婿」で、血もつながらない他家の息子と娘をともに養子に迎えて跡を取らせることさえあった。こうしたことは明治の御一新以降も続いていた。

こうしたことから、民俗学の柳田國男(やなぎたくにお)は、日本の「家」は、元来は血縁組織ではなく労働組織ととらえた。親子というのも労働組織のリーダーとフォロワーをさすことばであったのが、後に、親族関係に転化したのだと考えたのである。もっとも、この見方は逆のように思えなくもない。ただ、日本の「家」には血縁集団よりむしろ「経営体」としての性格が強く、西欧のファミリーや、中国の「宗族」とはひじょうに異なったものだったようにみえるのは確かである。

長子相続か均分相続か

しかも、日本の場合、鎌倉から室町時代にかけて、まずは武士間で総領が全財産を相続するようになり、総領には、長子がなる決まりとなっていった。このあり方は、江戸時代、全社会にゆきわたり、明治時代には、旧民法ではっきりと決められることになった。

そうなると、「お家騒動」も、分けろ、分けないではなく、誰が一人占めするかになる。

これに対し中国やイスラム世界では、男子は均分相続である。そのために、相続が続いていくうちに財産はだんだんと小さくなっていく。徳川日本では、すべて「家」がベースで、「家柄」によってなれる役職が決まっていたのに対し、中国の場合は、とりわけ宋代以降、日本における今日の上級公務員試験、というよりは戦前の「高文試験」にあたる「科挙」の試験に通らなければ、キャリア官僚となって旨い汁も吸えないシステムになっていた。いくら一時は権勢をふるっても、一家のなかで科挙に受かる者が何代も出ないと、権勢はもとより財産も目減りしていくことになっていった。

イスラム世界の場合、イスラムの戒律で、法律的な性格も有しているシャリーアでは、養子を禁じているので養子はとれない。しかし、イスラム世界でも、アラビア語でバイト、トルコ語でカプと呼ばれる、「偉い人の『家』」は、権力と富の要だった。この「家」では、娘がいれば、婿をとる。しかし、婿養子ではなく、ただの婿である。それでも、婿が有能であれば、舅のもっていた権勢と富（実態は利権中心）を保つことができたのである。

日本では、いくら養子が盛んだったとはいえ、家柄のつりあう家から養子を迎えるか、経済的に困っているときは金持ちからとるかだった。庶民だが大金持ちの男谷検校（おたにけんぎょう）の孫の勝小吉(かつこきち)、つまりは勝海舟(かつかいしゅう)のお父さんなどはこの例である。下男や奴婢(ぬひ)を養子にとることは、武家ではまずなかったのである。

これに対し、イスラム世界では、家内奴隷として買い入れて小さいときから大切に育ててきた奴隷のうち、とりわけ優秀な奴隷を奴隷身分から解放して娘婿にするのはふつうのことだった。もっとも日本でも、東北などでは、大地主の旦那が、捨て子などを買い入れて奴僕とし、有能な場合には養子分としてしかるべき女性と結婚させて分家扱いする慣行があったそうではある。

均分相続の中国やイスラム世界では、日本や英国のように長男が一人占めとはいかない。そうなると、支配組織の頂点の王様などの場合、跡目を誰が継ぐかがはっきりしない。それでも誰かを皇太子に立てられればまだいい。清朝では、聖明の君主として名高い康熙帝(こうきてい)さえ、皇太子を立てたが失敗して廃嫡とした。そして、雍正帝(ようせいてい)が御指名で跡継ぎとなったのである。もっとも、雍正帝は勤勉無比の君主で、清朝の支配組織の根締めを完了したので、この試みは成功だったといえよう。そして雍正帝は、後継者について、結局、意中の人の名を故宮内の「正大光明」と書かれた額の裏に封ずることとした。

イスラム世界最後のスンナ派の世界帝国であるオスマン帝国でも、皇位継承の順位は長らく定まらなかった。一四世紀末の第四代バヤズイット一世の頃から一六世紀末までは、君主が亡くなると、王子たちが付け人群を率いて争い、生き残った王子が王になるという「兄弟殺し」が慣例となった。このゼロ・サム・ゲームを勝ち抜くには、付け人の助力もあるが、それなりに一党をまとめる能力も必要だった。だから、少なくとも第一〇代スレイマン大帝までのオスマン帝国の君主には愚帝は一人も出なかった。

ただ、あまりに「兄弟殺し」が過ぎて、一七世紀初めに皇位継子権をもつ男子が二人だけとなり、どちらにも男児がいないということが起きた。それで王子たちを後宮におしこめて、年齢順に即位させ、兄弟順、それからその子どもたちの世代へという「年長者制」システムに変更するようになっていった。年長者制システムは、第三六代でオスマン朝が亡びるまで続いた。そうなると、後宮内の「鳥かご（カフェス）」といわれる一画で黒人宦官と女奴隷にかしずかれて暮らし、教育もじゅうぶんにはうけられないこととなり、特に一七世紀には頼りない君主もつぎつぎと出てきた。しかし、その頃には、帝国の支配組織も確立して君主の親政の必要もなくなり、大臣たちが実務をこなすようになっていた。

「とにかく御長男」というシステムが固まってしまった徳川日本でも、幕府中央でも諸藩でも支配組織が確立し、中央では老中たち、諸大名では家老たちが実権を握るようになった。とりわけあまりに具合のよくない殿様だと、重臣たちが話し合って、殿様を「押し込め」といって座敷牢にとじこめて新しい殿様を立て、事の次第を幕府に報告すればおおむね許されるということになったそうである。

明治になってからの財閥でも、徳川時代以来の大町人の「家」を核とする財閥では、三井財閥も住友財閥も、三井家、住友家の御当主は、いわば「統合の象徴」で、番頭たちが実権を握って切りまわした。「西洋化」による「近代化」が進むと、番頭たちにかわって大学で学んだ三井の團琢磨（だんたくま）や住友の小倉正恒（おぐらまさつね）のような専門経営者がしきるようになった。

ただ新興財閥ではこうもいかず、三菱財閥では、第一世代の岩崎弥太郎（いわさきやたろう）、弥之助（やのすけ）の創立者のあとは、その子どもたちが陣頭指揮をとっていたが、戦後の「財閥解体」で、財閥は企業グループの「系列」になり、創業家は経営から手を引くことになった。

このことは、企業規模からいっても、同族経営から専門経営者経営への移行をかえってスムーズにしたことであろう。

東洋的専制

人集めの始まりの話から、「家族」の話、そこから同じ「家族」でも、一国の支配組織の頂点の王、君主に誰がなるかにまで、話は行ってしまった。ふたたび、見えないメガ・マシーン、巨大機械としての巨大組織に話を戻すことにしよう。

社会のインフラを保つための組織ができ、とりわけ四大文字世界で、文字を生み出すほどに文明が発展したのは、大河をコントロールする技術が進んで、農地の開発が進み、ひじょうに多くの人を養えるようになったからであった。これら文明が進展したところは、乾燥地帯であった。一方で大河をコントロールし、洪水に備えながら、他方では、洪水以外のときに、農地に水が行き届くようにするために、大規模な灌漑施設をつくりあげ、維持していくことが必要になった。この大規模なインフラを整備し維持していくには、莫大な労力と、それをコントロールしていくための巨大な組織が必要となっていった。ただ、インダス文明の場合は、不思議なことに、巨大なインフラをつくり出しながらも、それが巨大な支配の組織に転化しなかったようなのである。もっとも、遺跡だけはしっかりと残っているものの、インダス文字の史料は印章くらいで、ごくわずかしか残っていないために推測に過ぎず、詳しいことは今のところわかっていない。

それはともかく、他の三大文字世界では、大河をコントロールし、農地に水を与える灌漑施設を体系的に維持していくために、巨大な支配組織が生まれた。そして、その頂点に運営の権限が集中し、君主専制的・中央集権的な支配組織となっていった。前述のウイットフォーゲルの用語でいえば東洋的専制である。

漢字世界の淵源となり長らくその中心ともなった中国では、真に君主専制的・中央集権的な支配組織の原型が成立したのは、秦の始皇帝（しこうてい）による天下統一後のことで、確立したのは漢代に入ってからであった。

ヒエログリフ世界では、ヒエログリフが現れた頃には、上エジプトと下エジプトが統一され、全国はノモスに分かたれ、太陽神の化身とされるファラオの下に、君主専制的・中央集権的な支配組織が成立した。このかたちは、三〇〇〇年近くつづくことになった。

そして、最も早く文字を生み出した楔形文字世界では、膠着語系の言語を母語としていたシュメール人についでメソポタミアで覇権を握ったセム系のアッカド人の時代から、支配組織が発展しはじめる。そして、同じくセム系のバビロニア帝国、アッシリア帝国の下で発展し、印欧系のイラン人のアケメネス朝ペルシアの下で君主専制的・中央集権的なかたちが確立した。

アケメネス朝では、皇帝に権力が集中し、全帝国は中央に直属する属州に分かたれ、各州にはサトラップと呼ばれる総督が派遣され、帝国内のコミュニケーションと交通を確保するために全国は駅逓(えきてい)を結節点とする道路網で覆われた。そして、アケメネス朝ペルシアのこの君主専制的・中央集権的な支配組織は、アケメネス朝ペルシアがアレクサンダーの遠征で滅ぼされた後も、アレクサンダーの帝国とヘレニズムの諸王朝を中継ぎとしながら、ローマ帝国、そしてビザンツ帝国に影響を及ぼした。

空間固定型の帝国エジプトと中国

これまで何度か述べてきたように、ウイットフォーゲルは、この三大文字世界の巨大帝国の支配組織をひとまとめにして、「オリエンタル・デスポティズム（東洋的専制）」と呼んだ。しかし、その発展のあり方をみていくと、どうも空間固定型の帝国と、空間拡張型の帝国とでもいうべきタイプのちがいがあるようにも思える。

ヒエログリフ世界の中心のエジプトは、原初からプトレマイオス朝まで、その版図は、ほとんどナイルの恵みの下にあるエジプトに限られていた。ヒエログリフ世界は、北は地中海、東は紅海、西と南は砂漠に囲まれていた。シリア、レバノン、ヨルダン、イスラエル、パレスティナに分けられてしまう以前の一体としての歴史的シリアにまでその版図が拡がることはあったが、ヒエログリフは定着せずヒエログリフ世界はエジプト内にとどまりつづけた。

漢字世界の中心をなす中国の場合は、黄河流域に発し、西は今日の四川、雲南、南は長江流域からさらに珠江（しゅこう）流域まで拡がり、エジプトに比すると、その版図は大きく拡がったともいえる。もっとも、その拡張は、長期にわたりごくゆっくりと進行した。しかし、東はシナ海の東に拡がることはなく、西北はタリム盆地の西に拡がることは稀だった。西はチベットとヒマラヤの山地、北はゴビ砂漠を控え、地理的・地政学的環境は孤立的だったのである。タリム盆地を出て西へサマルカンド近くまで勢力を伸ばしたのは、騎馬民族の鮮卑の軍閥と深いかかわりをもつ唐のみであった。

漢字世界の中心の中国とヒエログリフ世界を形成したエジプトは、閉鎖的な地理的環境がその性格に影響を与えていた。

そして漢字世界の周辺諸社会をみても、朝鮮半島の場合、北に中国を控えていたことも大きく、その版図は朝鮮半島に限られていた。日本もまた海に囲まれていたことが大きく、空間的環境は、一七世紀に琉球に侵攻し、また北海道のほぼ全土あたりに拡がるにとどまった。ヴェトナムの場合は、一七世紀に至るまで南への拡大は続いたが、やはりその版図は固定的空間にとどまることとなった。

空間拡張型の楔形文字世界

これに対し、楔形文字世界で発展した支配組織は、そもそも、楔形文字を生み出したメソポタミアからして、四通八達の地理的・地政学的環境にあり、諸文明・諸民族の往来する地であった。同じく君主専制的・中央集権的であるといっても、楔形文字世界においては、固定的空間としての版図を守るよりは、版図を可能なかぎり拡張していく傾向をもっていたようにみえる。実際、アッシリア帝国は、ヒエログリフ世界のエジプトを一時期、支配下に置いた。そして、セム系のアッシリア、新バビロニアに続いた印欧系のアケメネス朝は、イラン高原を拠点として、メソポタミアをあわせ、南方ではヒエログリフ世界のエジプト、西はアナトリアからバルカン半島北辺までを版図に加えた。アケメネス朝は、さらにギリシア本土まで支配下に置こうとして、ギリシア人の抵抗によりさらなる拡大は停止することとなったのである。

この支配空間の拡大過程をみると、楔形文字世界の諸帝国は、メソポタミアのバビロニア、アッシリア両帝国にはじまり、イラン高原から興ったアケメネス朝ペルシアに至るまで、空間拡張型の帝国といえ、軍隊もまた外征向き軍隊としての特徴を有していたのではあるまいか。軍隊は、中国やエジプトのそれに対し、機動力と瞬発力に優れていたように思われる。もっとも、それでも遊牧民のスキタイ人には手を焼いたのも確かである。

ヒエログリフ世界のエジプトの場合、何回かの異民族支配も経験しつつ、ローマ帝国の支配下に入るまで、王朝は三〇を越え、三〇〇〇年近くヒエログリフ世界として存在しつづけた。強力な凝集力と耐久力を示し、プトレマイオス朝までエジプト化していったように、強力な同化力も発揮した。

漢字世界の中心をなした中国の場合も、その支配組織は、機動力と瞬発力に欠けるところがあるが、しかし強力な凝集力と耐久力を有していた。モンゴルの元の一世紀近い支配を例外として、最後の征服王朝たる清に至るまで異民族の征服王朝に対しても、「満洲」が「東三省」として漢化してしまうほどの同化力を発揮したのであった。そして、中国の場合、儒教にかえて共産主義のイデオロギーの下ではあるが、独裁的・中央集権的支配組織を維持しつづけている。

これに対し、楔形文字世界の諸帝国は、興亡をくりかえした。そして、その後継というべきササン朝ペルシアは、イスラム世界に包摂され、その遺産はある程度受け継がれたものの、地上から消滅することとなったのである。

空間拡張型の典型ローマ帝国

西方のギリシア文字世界のヘラス、すなわちギリシアは、ローマ帝国に包摂されるまで、覇権国家はスパルタ、アテネ、スパルタ、テーベと移りかわりつつも、ついに政治的統一をみなかった。

これに対し、さらに西方のイタリア半島で、ギリシアとエトルリアの影響の下に台頭したローマは、最も典型的な空間拡張型の帝国となった。まずイタリア半島を支配下に収め、ポエニ戦争でカルタゴを滅ぼして北アフリカ西部とイベリアを手中にした。東方ではヘレニズム世界を征服して、バルカン半島、アナトリア、シリア、エジプト、さらに一時はイラクまで支配下に置いた。北方では、ガリア、ゲルマニア南部だけでなく、ブリタニアすなわち今日の英国の北端を除いたところまで包摂した。この拡大は「五賢帝」第二代のトラヤヌス帝時代まで持続して最大版図に達し、紀元一一七年に即位した「五賢帝」第三代のハドリアヌス帝時代にようやくほぼ停止に至り、メソポタミアとアルメニアが放棄された。

ローマ帝国の支配組織の特色は機動力と瞬発力に富む軍隊にあり、君主専制的・中央集権的支配組織が体系的に整備されるのは、二八四年に即位したディオクレティアヌス帝時代以降のことであったようである。しかし、この皇帝の下で、早くも帝国を四分割して統治する分割統治策がとられている。しかも一世紀もたたぬ三九五年には東西ローマ帝国に二分され、西ローマ帝国は四七六年に滅亡し、再興されることはなく、そのあとに発展したラテン文字世界としての西欧世界はついに統一をみない。

そして、西半を失いながら唯一のローマ帝国となった東ローマ帝国をビザンツ帝国と呼ぶとすれば、この帝国は、ユスティニアヌス帝の治世を除き、むしろ空間固定型の帝国と化した。ビザンツ帝国が空間固定型となったのは、西方ではもはや容易に征服できる地は乏しくなり、東方では強力なササン朝ペルシアの存在が大きかったからであろう。そして、七世紀中葉にはアラビア文字世界としてのイスラム世界の台頭とともに南半を失い、その版図はバルカンとアナトリアに限定されて余命を保つこととなる。

西欧人はローマ帝国を「組織のローマ帝国」という。ほとんど無組織のギリシアに比すればそれは確かだが、その支配組織は機動力と瞬発力には優れるが、内的な凝集力と耐久力と同化力は、漢字世界の中華帝国に比すればはるかに弱体であったようにみえる。

ギリシア・ローマの支配組織とリクルートメント

さて、支配組織の強弱には、メンバーを調達する人員補充、すなわちリクルートメントのあり方も深く関わっている。ここでも、文化のちがいがものをいう。

西欧人が今でも理想的な時代のように思っている古代ギリシアの場合、軍隊については、市民はみな重装歩兵として軍務につくことになっていた。スパルタの場合は、男子だけでなく女子にも軍役義務があった。なぜかというと、スパルタでは、先住民が隷属民とされ、生産労働はもっぱら隷属民がやらされていたが、人口の多くを占め不満もかかえているので、いつ謀反を起こすかわからなかった。これを抑えるために男子のみならず女子にも軍役義務を課したのである。とりわけ男子の場合は、若いときは合宿し、年をとってからも召集があった。被征服民を抑えつけるために男女ともに軍役義務があるのは、現代国家でいえば、イスラエルに似ている。しかし、現代のイスラエルは、ユダヤ系市民については平等に政治に参加できるが、スパルタでは、貴族と平民に分かれ、支配組織の重要な職につき政策決定にあたれるのは主に貴族に属する人びとだった。

これに対して、アテネでは、次第に平民が力をもちはじめて、「民主政」が実現していた。もっとも、「民主政」といっても、参加できるのは自由人の市民だけで、女性はもちろん除外で、しかも奴隷もいて人間外の扱いだった。民主政は、ものを決めるときに、偉い人やお金持ちの言うことだけが通るのを防ぐフィードバック機能があるのは良い。しかし、「市民」がじゅうぶんに賢くないとデマゴーグすなわち扇動家が現れ、大衆受けのする政策を打ち出し実行することにもなる。アテネが、ペロポネソス戦争でスパルタに負けたのは、まさにこのためだった。こういう、民主主義のマイナス面は、今日の米国のトランプ政権にも出ているようで心配なことではある。

ギリシアでは、市民参加によって、専門の役所、役人が育たず、その支配組織は、素人政治的で、危なっかしいところがあった。ローマの場合も、市民は皆が重装歩兵として従軍する義務を負っていたが、貴族と平民に分かれ、貴族も、元老院議員になれるお家柄とそうでない者に分かれていた。そして、実際の人事では、家柄と親分子分関係がものをいった。そのうちに、エクイテス階級という貴族と平民の間の階層の人たちがのし上がりはじめたが、コネと親分子分関係は大いに影響した。ローマの支配組織について、我々までが「組織のローマ」とほめたたえるほどではなさそうなのは、このためもあろう。

科挙が高めた凝集力

これに対し、ほとんど誰でも参加できる自発参加型の能力試験で支配組織の幹部要員、戦前の日本でいえば「高文官僚」、今の日本でいえば「上級公務員」を採用するシステムを世界で最初に実現したのは中国だった。

中国では、春秋戦国の時代から、人材を求め、有力者には人材プールとして「食客」すなわち居候を多く抱える人がいた。そして実際、「食客」上がりの実力者もたくさん出ている。そのうちに地方の有能人材を中央に吸い上げようというかたちで地方有力者に人材を推薦させる「郷挙里選（きょうきょりせん）」、さらには、地方に「中正官（ちゅうせいかん）」というのを置いて人材を推挙させる「九品中正（きゅうひんちゅうせい）」制度もできた。これらの制度は、いずれも地方の有力者とコネのある人物が中央の官僚になる通り道となった。ただ、これも地方と中央の人的流通の経路をつくる意味はあったであろう。そして、隋代にとうとう能力試験をはじめ、これが唐代に「科挙」として定着したのである。

もっとも、唐代には大貴族もたくさんいて、その「お坊ちゃま」たちは、家柄のおかげで、高官になれた。しかし、幸いにして五代十国の争乱のうちに大貴族はことごとく没落してしまい、宋代に入ると、出世するには科挙試験に通るしかなくなった。そして、元の頃はだいぶちがうが、宋、明、そして少なくとも漢族については清でも科挙が第一の出世コースになった。

この試験は厳格で、カンニングなどがバレれば、本人はもちろん、その親族、さらにはかかわった試験官も死刑ということになっていた。そして、通例三年に一回の試験に、受かるのは一〇〇名程度だった。

この試験については、試験科目が儒学と詩文中心で役にたたない、せっかく試験を通って役人になった後の腐敗が著しいと後世の評判はよくない。しかし、それは弊害が誇張されすぎているように思われる。少なくとも与えられた問題処理能力のある人間がリクルートされてキャリア官僚となり、支配組織の中枢を担っていたからこそ、あの巨大な中国が、統一を保ち、外敵の侵入征服にもかかわらず、アイデンティティーを失わなかったのではなかろうか。そして、少々懐に余裕のある家の子はほとんど皆、試験のために漢文の古典を勉強したので、広大で多様な中国のエリート候補が共通の文化をもつようになり、中国社会内部の凝集力が高められたのではあるまいか。

このお受験世界は、朝鮮半島にも、ヴェトナムにも受け容れられ、科挙は、近代に入るまで続いていた。今日の韓国で、大学入試の不正が驚くほどの大問題となる背景には、この高麗王朝、朝鮮王朝以来のお受験世界があるのである。

面白いことに、同じ漢字世界でも、日本と琉球王国には、科挙は入らなかった。系図のある家であるかどうかが問われる社会となった。それはこの両社会が、本家の中国から遠く離れた周辺であったうえに、島国社会で、対外環境が中国ほどシビアでなかったことにもよるのだろう。もっとも、家柄で将来が決まるのも、子どものときから父の職業を継がせるために、父親が率先して教育にあたるので、まんざら悪いとばかりもいえない。といっても、現代の日本では、こんな家庭内教育は、古典芸能などにかかわる家くらいに限られている。

琉球王国については、役人全体の科挙は取り入れられなかったが、中国への国費留学生を選ぶためには試験があったという。琉球王国時代には、中国に留学して漢文や儒学、さらには技芸を学ばないと出世できず、私費留学者で偉くなった人もないことはないが、本流は国費留学生出身者だった。このシステムの影響かどうかはわからないが、米国の軍政時代、米国留学者は、「金門クラブ」と呼ばれ、トップ・エリートだったそうである。といっても、皆が体制べったりだったかというと、そうでもなく、琉球大学の教授から沖縄県知事になり基地問題などを厳しく批判した大田昌秀先生も「金門クラブ」だったと聞く。

「近代官僚制」と非西欧諸社会

誰でも自発的に受験できる能力試験で支配組織のメンバーを採用するようになったのは、近代西欧でも一九世紀になってからのことだった。それまでは西欧でも役人になるには、家柄とコネがものをいっていたのである。とはいっても、西欧世界では、一七世紀の絶対王政の時代から、君主専制的・中央集権的な支配組織が定着発展し、「近代官僚制」と呼ばれる、効率のよい組織ができあがっていった。

近代官僚制というのは、役所の組織と、各役職の権限が法律でしっかりと決められており、その担い手は、専門知識によって選ばれる人からなっている組織のことをいう。一九世紀に入るとこの制度が完成し、行政組織だけでなく権限もすっかり一新された。そして、同時代では最も効率のよい官僚と軍隊をもって、文明面で圧倒的な比較優位を占めるようになった。非西欧の諸社会は、「西洋の衝撃」の下に、近代西欧のモデルを受け容れ、「西洋化」による「近代化」に努めざるをえなくなった。

この試みに、一七世紀末にいち早く取り組んだのは、北方の雄ロシアのピョートル大帝で、一代のうちにロシアをヨーロッパ列強の一つにまで育て上げたのだった。日本の場合は、幕末にはもたもたしていたが、「明治維新」をきっかけとして、「文明開化」のかけ声のもと、「西洋化」による「近代化」に邁進する。漢字世界の中心を長年にわたり占めていた中国は、日本にとって二〇〇〇年近く「師匠」だったが、この点で遅れをとった。日本は中国の清朝を日清戦争で破り、一九〇五年の日露戦争では、非西欧世界で最初に「西洋化」改革に取り組んだロシア帝国にも勝利したのであった。ただ日本はこの「大成功」に酔い、これ以降、陸軍を中心に、技術革新でも、組織のイノヴェーションでも遅れをとるようになっていったのも確かであろう。

さて、世界史上、非西欧諸社会のなかで、ロシアについで早く「西洋化」改革に取り組みはじめたのは、イスラム世界のスンナ派の世界帝国的存在となっていたオスマン帝国だった。オスマン帝国は、一六八三年の第二次ウィーン包囲で大敗し、一六九九年のカルロヴィッツ条約では、対西欧攻勢の最前線拠点だったハンガリーの大部分を失った。そして、一七一八年のパサロヴィッツ条約でハンガリーの残りすべてが失われ、ドナウ河の南、バルカン側の最重要拠点ベオグラードまで一時は失った。

こうした状況に対し、思いきって近代西欧のモデルを受け容れて改革せねばという開明派も現れて、一八世紀前半から、少しずつ「西洋化」改革をはじめた。しかし、一六世紀には精鋭だったものの、当時は守旧派の巣窟となっていた常備歩兵軍団イェニチェリの意向を忖度せざるをえなかった。そのため、本格的に体系的な「西洋化」改革に着手できたのは、一八二六年、第三〇代マフムート二世によってであった。

それでも、明治新政府の樹立より四二年も前に改革が始まり、日本なら幕政末期にあたる一八三九年から明治初年にあたる七六年まで、タンズィマート改革が進められた。一八八九年の大日本帝国憲法発布に先んじること一三年の一八七六年には、オスマン帝国憲法が発布されさえしたのである。

しかし、一八七七年にはじまった露土戦争では、翌年に大敗した。そして、諸民族独立運動も激化し、第一次世界大戦ではドイツ・オーストリア側で参戦して敗戦国となり、一九二二年には消滅することとなった。

このオスマン帝国の「西洋化」改革と、日本の「明治改革」をくらべると、もっとも大きなちがいは、「国際環境」と社会の統合のあり方にある。だが、もう一つ興味深い点がある。「明治改革」では「富国強兵」が叫ばれ、それを実現する方策として「殖産興業」がめざされ、近代産業を興す経済改革に焦点が置かれたのに対し、オスマン帝国では、体系的な経済政策が打ち出されなかったことである。トルコの場合、体系的な経済改革が本格的にめざされるようになるのは、オスマン帝国が消滅して一九二三年に成立した、ムスタファ・ケマル・パシャ、のちのアタテュルク指導下のトルコ共和国においてであった。しかも、それがほんとうに実を結ぶのは、一九八〇年クーデター以後のオザル政権の下であったのではなかろうか。実際、トルコは、二〇一九年のデータではＧＤＰで世界一九位につけるに至っている。

ヒエラルキー型組織としてのカトリック教会――さまざまな組織

「目標達成のための協働の体系」としての「組織」は、「家族」のようなごく小さなものから、次第に拡大し、ついに巨大組織が出現するようになった。人類の創り出したメガ・マシーンである巨大組織は、何よりも支配の組織として発展していった。「東洋的専制」を支えたのは、まさにこのようなメガ・マシーンとしての支配組織であった。そして、長らく支配組織は、さまざまの組織のなかで突出したものとして発展してきた。

しかし、人間の創り出す組織には、さまざまの目標に向けてのものがある。それらのなかで、支配組織にある程度匹敵しうる規模と能力をもつ組織として歴史のなかで現れたのは、現在のみならず未来、そして「後生」まで統べる「宗教」の組織だったのではあるまいか。

もっとも、聖典をはさんで神と人が直接相対するイスラムのような宗教では、信者の絆は、主として戒律の共有によって保たれ、広大な空間に拡がっていったにもかかわらず、巨大なメガ・マシーンを生み出すことはなかった。

これに対し、カトリックでは、神と人とを教義上媒介する聖職者と、その組織としての

「教会」が成立した。教会はローマ教皇を頂点とする巨大なヒエラルキー型の組織へと発展した。そして、布教が進むとともに広大な空間に分布する膨大な信徒を包摂し、教義の統一性を保ちえた。組織なき戒律の宗教としてのイスラムに対し、カトリックは、典型的な組織宗教なのである。その組織は、地域も、国境も、民族も人種も、そして、文化世界の境界まで越えて拡がる、普遍的組織となった。

家から企業へ

経済にかかわる経営組織は、当初は家族単位の小規模なものであった。しかし、徳川日本の商家の場合には、経営体としての「家」組織の原理にのっとりつつ、支店を出し、「のれん分け」により系列店舗を増やしつつ、かなり広域に拡がる組織ネットワークを生み出しさえした。そのような大規模化した「商家」のなかには、「明治改革」期に入り、新しい業種・業態にも適応して、三井「家」や、住友「家」のように、「近代」日本の「財閥」にまで成長していくものもあった。もっとも、経済環境の変化と激化する競争、そして謀略に適応しえず没落する例にもことかかない。たとえば、江戸の両替商として三井家とも並ぶ位置を占めていた三谷家の場合、三井家の謀略に、婿養子として分家分にとりたてた番頭が巻き込まれ、没落したという。

それはさておき、日本の財閥は、家組織から次第に近代的経営組織となりながら、第二次世界大戦後のＧＨＱによる財閥解体指令によって解体され、財閥の当主家は経営からまったく切り離された。それでも、その余韻は、企業の「系列」として今も残っている。

そして、我が国の財閥に似た、創業者の家族を中心とする企業グループは、とりわけ「新興国」の経済発展の原動力の一つとなっている。今日、突出して問題となっている韓国の財閥群はその好例である。今や第一世代から第二世代、あるいは第三世代へと移行しつつある、これらの財閥の形成発展と変容過程には、各々の社会の文化もまた色濃く反映されている。比較財閥史・比較財閥論の研究は、文明と文化の交錯についての我々の知見を増進させうるであろう。

「近代」資本主義経済を担う企業組織は、近代西欧モデルが、西欧圏のワールド・モデルから、唯一のグローバル・システムとしての近代世界体系における、グローバル・モデルへと至るなかで受容されつつ展開してきた。その企業の経営組織には、金融資本の本場英国のロンドンでも、一九世紀中頃には、文豪ディケンズの『クリスマス・キャロル』に描かれたスクルージのオフィスのように、経営者スクルージと数人の事務員といった小規模なものもあった。

経済分野における現代の巨大経営組織の生みの親となる米国においても、そうである。

レイモンド・チャンドラーの『経営戦略と組織』によれば、一九世紀後半には、後に化学工業の大会社となるデュポンも小規模な家族経営の組織であり、米国きっての自動車会社となるGMすなわちジェネラル・モーターズも、元来は家族経営の馬車製造業者だったという。これが二〇世紀初頭にかけて、事業を拡大発展させ、巨大な経営組織と化していった。

そうした経営組織は、まずは中央集権的なヒエラルキー組織のかたちをとったという。しかし、企業規模が格段に拡大し、組織が巨大化するなかで、集権的に管理する中央と実働する部分との乖離（かいり）が生じるようになる。そうして、中央集権の組織は再編され、各事業部がかなり独立的に運営される「事業部制」へと移行していったという。我が日本でも、まずは近代西欧モデルの中央集権的経営組織モデルの受容が試みられたが、第二次世界大戦後に米国での事業部制の創出発展をモデルに、事業部制への転換がはかられた。

しかし、現今のようにコンピューター技術が急速に発展し、AIすなわち人工知能の能力が格段に拡大し、ビッグ・データの収集と分析が当面の急務とされる時代には、経営組織もまた、分権的事業部制から新たなかたちの中央集権タイプへと引き戻されるのではなかろうか。文明の進展とともに、文明の一端としての組織も変容していく。そこに、文化的差異がどのようにかかわってくるかも、興味深いテーマではある。

第五章　衣食住の比較文化

住まいのかたち――遊牧民・狩猟民・定住民

これまで文字、宗教と科学、組織など、人間の日々の暮らしとは少し距離のあることについて触れてきた。本章では、人間の暮らしに必要不可欠な衣食住について語ることにしよう。

そもそも、著者の定義に基づく「文明」は、人間が環境に適応しながら、できるだけ楽に暮らしていくために生み出され、発展してきたものである。そのなかで雨露をしのぐために住まいが創り出され、暑さ寒さに備えるために衣服をまとうようになり、飢えを防ぐために、食べられるものを見分け、より食べやすくするために煮たきをはじめた。

そこでまず衣食住のなかの住から考えよう。定住民にとっては固定的住居が当然だろうが、移動しながら暮らす人びとにとっては、可動的な住居の方がふさわしい。定住生活が当たり前となってきた我々日本人にとってはなじみが薄いが、「旧世界」の三大陸には、移動しながら暮らす人びともいた。遊牧民と狩猟民である。両者ともに、今日ではごくマイナーな存在となってしまったが、歴史上、しばしば大きな役割を演じた。そもそも、我々も属してきた漢字世界の中心となってきた中国で、「前近代」における最後の世界帝国というべき清朝をうち立てたのは、元来は狩猟民であった女真人たちであった。そして、世界史上、最大の帝国を樹立したモンゴル人は、遊牧民であった。

移動を常とする遊牧民や狩猟民は、固定した住居をもたず、移動の便のためにテントで暮らす。「新大陸」の北米でも、狩猟で暮らす、今ではネイティヴ・アメリカンと呼ばれるようになった人びともテント暮らしであった。

遊牧民のテントとしては、我が国ではパオとして知られるモンゴル人のものや、トルコ人のチャドルなどがある。狩猟民は獲物を追って季節によって獲物の得やすいところへと移動していく。遊牧民は、冬は水と干草の得やすいところで冬越しし、夏は涼しい高地で草と水の得やすいところで家畜を放して英気を養わせるのである。

彼らは、必要最小限のものを携えて移動していく。そして、テント内では、敷き物を敷いてその上に座って暮らす。

一方、農民は、一年を通じて種をまき収穫して暮らすから、定住が常態となる。焼き畑農民の場合は、移動していくが、それでも一ヵ所で少なくとも何年かは暮らすので、固定した家をもつ。

農民は通例、村をつくって暮らす。村々のつくり、家のかたちは、地勢と手に入れられる建材によって制約されるところが大きいので、同じ文字世界、さらにはその地域のなかでもかなり異なってくる。

たとえば、アラビア文字世界としてのイスラム世界内のトルコ圏のアナトリアでも、木造の家、石造の家、泥煉瓦の家が分布している。そして、同じ石造の家でも、切り石を用いるものと、丸石を積み重ねたものがある。

いま一つの定住民は、都市民である。そもそも、西欧世界でcivilizationの語が生み出されたとき、その語源となったのはギリシアのポリスにあたるローマのキヴィタスである。それも元来の城壁で囲った農民の集住地ではなく、我々のなじんだ都市を念頭に生まれた語であることから、都市は、文明の象徴であるのがわかる。そのことは、多くの考古学者や人類学者が、文化から文明への転化を都市の誕生をもってすることにも反映されている。

都市を囲む城壁

さて、「旧世界」の五大文字世界の都市について考えてみると、ほとんどのところで都市は城壁で囲まれていた。ビザンツ一〇〇〇年の帝都コンスタンティノポリス、すなわち今日のイスタンブルの三重の大城壁はことに有名である。たしかに、ビザンツの帝都は数々の外敵を退けた。コンスタンティノポリスが陥落したのは一四五三年のことであり、ビザンツ帝国の衰退と、攻める側のオスマン軍の巨砲の威力をもって、ようやく攻略されえたのであった。

ラテン文字世界としての西欧世界の都市の城壁としては、ハプスブルク帝国の帝都となったウィーンを囲んだ城壁がある。一七世紀にそれまでの中世城郭の城壁にかわって大砲鉄砲の攻撃に万全に対処すべく築かれたこの城壁は、一六八三年のオスマン軍の包囲に対し二ヵ月もちこたえたのであった。もっとも、この城壁も、世界の技術的イノヴェーションの主要源泉となった西欧世界で生まれた最新式の大砲には無力となり、一九世紀中葉には取り壊された。結局、帝都の中心部をめぐる環状道路リンクとなってしまい、今は跡かたもない。

さて、「旧世界」の五大文字世界において、都市は城壁で囲われるのが常識であったなかで、きわめて稀な例外となったのが日本であった。

日本が属してきた漢字世界において、長らくその中心をなしてきた中国でも、漢字世界の文明と文化の周辺の重要な拠点であった朝鮮半島でも、都市は城壁で囲うのが通例であった。しかし、日本では、城壁で囲われた都市のモデルは受容されなかった。平城京も平安京も塀で囲われはしたが、城壁ではなかった。同じ漢字世界でも大陸部の中国や朝鮮半島とはちがって、平城京が建設されはじめる頃までには、都の周辺には、もはや脅威となりうる「異民族」などいなかったことによるのであろう。本格的な城壁で囲われた都市は、戦国時代に関東で覇を唱えた北条早雲を祖とする後北条氏の拠点であった小田原のみであったのである。

宗教の刻印

さて、城壁に囲われていようといまいと、一度都市に入ると、その景観にも、暮らしの秩序にも、文化の一端としての宗教の刻印が色濃く表れている。

近年に入り西欧式の高層ビルが林立するようになり、その影は薄れつつあるが、東西のキリスト教世界の教会のドームと鐘楼、イスラム世界のモスクのドームと尖塔ミナレットは、都市の景観に、まったく異なるシルエットをもたらす。教会の鐘楼からの鐘の音や、イスラムのモスクの傍らに立つ尖塔ミナレットから発せられる、一日に五回の礼拝の時の到来を告げるアラビア語のアザーンの呼び声は、街の音の秩序を支配してきた。我が日本の旧時の梵鐘の音もそうである。

また宗教は、日々の暮らしの秩序を支配した。「旧世界」の「三大陸」の西方に拡がる三つの一神教世界、すなわちラテン文字世界としての西欧キリスト教世界、ギリシア・キリル文字世界としての東欧正教世界、そしてアラビア文字世界としてのイスラム世界では、一ヵ月は七曜日に分かたれた。そして、両キリスト教世界では、日曜日が安息日とされ、安息日には就労が禁ぜられ、教会での礼拝に赴いた。今日の英国でも、商店の日曜営業を禁じている街もあるようである。

アラビア文字世界としてのイスラム世界では、安息日はない。しかし、金曜日の昼の共同礼拝には加わることが要求される。ユダヤ教徒は、長らく自らの国家をもち得なかったが、土曜日がサバトとして安息日で、いっさいの労働が禁ぜられてきた。一九四八年に樹立されたイスラエルでも、世俗的民族主義者である労働党が主導権を有していた頃にはじまったラジオ放送は当初は問題なく土曜日にも放送していた。しかし、宗教派が力をもちはじめた頃に今度はテレビが導入されると、土曜日の放送が許されるかどうかが議論となったそうである。ちなみに、ユダヤ教徒にとって一日は、日没とともに始まる。そこで絶対的安息日サバトは、我々にとっての金曜日の日没とともに始まり、我々にとっての土曜日の日没とともに終わるのである。

しかし、興味深いことに、イスラム世界でも、一日は日没とともに始まり日没とともに終わる。そこで、我々歴史研究に携わる者には悩ましい問題が生ずる。つまり、イスラム暦の某月某日に事件が起こったとあっても、機械的に換算できない。日没前と日没後で一日差ができてしまうのである。

後宮とハレム

家のつくりとそのなかでの住まい方も、文明の一端として、各々の環境の下で、できるだけ快適に暮らすことをめざしていた。しかしまた、家も、暮らし方も、文化の刻印を帯びる。

漢字世界でも、宮殿、城郭では、女性の居所は大陸部では後宮、日本の江戸時代では大奥として男性の居所とは厳しく隔てられていた。ただ、中心をなしてきた中国、そして朝鮮半島とヴェトナムでは、後宮には宦官がいたが、島嶼部の日本と琉球では宦官は存在しなかった。大陸部の宮廷では、後宮の外は、君主のプライベート・スペースとしての内朝と公的スペースとしての外朝に分かたれたように、江戸時代の千代田城では、男性のプライベート・スペースの「中奥」と公的スペースとしての「表」に分かれていた。ただ民家となると、男性と女性の居所は判然とは分かれていなかった。

イスラム世界の場合、宮廷についてオスマン帝国の帝都イスタンブルのトプカプ宮殿を例にとれば、君主のプライベート・スペースは、女性のみの居所で厳重に外部から隔離された後宮ハレムと男性の居所たる内廷エンデルンに分かたれていた。その外に公的スペースとして外廷ビルンがあった。後宮ハレムには女性のみでなくその監督者として黒人宦官が、そして内廷には小姓だけでなくその監督者としての白人宦官がいた。

イスラム世界の場合、民家でも、女性の居所と男性の居所は厳格に分かれていた。トルコでは、女性の居所をハレム、男性の居所にして来客をも迎える部分をセラームルクと呼ぶが、ハレムで女性の用意したコーヒーなどを、女性が姿をみせずに男性客に供するために、目かくしつきの回転台さえしつらえられていた。

これに対し、男女を分かつ厳しい戒律など存在しないキリスト教世界としての西欧世界では、宮廷でも女性は隔離されず、男女が入り交じった社交世界が生まれ、まったく対照的な様相を示していた。

屋内での暮らしは、西方のギリシア・ローマ世界から東西両キリスト教世界では、椅子とテーブルが基本となった。寝所もベッドが基本となった。これに対し、イスラム世界では、室内の暮らしは、基本的には、床の敷物の上に座し、絨毯は座するための敷物としての役割もはたした。トルコでは個別的に座るためのミンデルという布製綿入りの座布団もあった。そして、寝所には、布団戸棚があり、朝夕に上げ下ろしするのが一般的であった。

東方の漢字世界では、中心をなす中国でも古くは、床に座する方式であったが、後に卓と椅子式が通例となった。日本の場合、床に座する習慣があり、隋唐から椅子と卓も入ったが根づかず、「近代」に至るまで、床に座する方式が守られた。ただ、平安朝時代には、板床の座所だけにしとねがおかれた。しかし、その後に、居室には畳がしかれるようになった。

独自の「衣」文化

「住」の世界でそうである以上に、「衣」の世界は、文化を象徴化するところが大きい。ただ、その「衣」のかたちも、時代により変動する。中国が独自の発展をとげ、漢字を生み出し、漢字世界を創り出して以来、中国の衣服は、前あわせで帯を締めるスタイルであった。そして、このスタイルは、周辺の諸社会が漢字を受け容れ、文明上も文化上も漢字世界へと包摂されていくなかで、漢字世界のワールド・モデルとして受け容れられていった。朝鮮半島でも、ヴェトナムでも、日本でも、そしてはるか後代ではあるが琉球でも、前あわせで帯を締めるスタイルが、定着していきながら、独自の発展を遂げていった。

こうして朝鮮半島では男性の伝統服パジ・チョゴリと女性のチマ・チョゴリとなっていった。女性のチマ・チョゴリのボトムであるチマは袴状のものであるからすそが割れない。朝鮮半島での女性の正式の座り方が片ひざ立てとなったのは、そのことと関係がある。ただ、はき物は、くつであった。

日本では、飛鳥時代以降の支配層は、かぶり物も衣服も中国式で、天皇は冕冠(べんかん)を戴くようになった。はき物はくつであった。この頃のかぶり物は、少し年配の方なら千円札や一万円札の聖徳太子の絵姿でおなじみであろう。しかし、時が経ち、国風化が進み、奈良時代から平安時代へと移ると、支配層上層部の正装は、飛鳥時代の純唐風のものとはひじょうに異なる束帯となった。その略装が衣冠である。そこでのかぶり物も独特のかたちをした冠となった。

束帯は、天皇陛下の式典でテレビなどで見た方も多いと思うが、略装である衣冠は、神社の神主さんの正装でより間近にみることができよう。女性も平安時代になると、裳裾のある唐風の衣装からいわゆる十二単（ひとえ）へとうつり、おぐしも、唐風に結い上げたものから長々とした「おすべらかし」へと変わっていった。男子の髪は、頭上に巻き上げる髪上（かみあげ）となっていった。

平安後期から力を増してきた武士となると、男性は狩衣をまとうようになり、女性は小袖に帯となった。そして髪形も、戦国時代には、常時「さかやき」を剃り上げるようになり、江戸時代に至って、身分により異なるが、いわゆる「ちょんまげ」となり、庶民にも拡がり、それも武士と町人で身分差のあるものとなった。女性も、身分と年齢に応じたまげとなった。

衣服も、武士の正装は身分により上級者は狩衣、布衣（ほい）、その下は紋つきの上下（かみしも）、平常着は紋つき羽織、袴となった。ただ徳川御直参の侍たちのうち、江戸町奉行所の「与力」は袴をつけず着流しだった。与力は給与などの待遇は旗本並みで南北両奉行所に二五人ずつしかいない、いわば部長級の幹部であった。彼らは、罪人を扱うから「不浄役人」という扱いを受けて、しゃべる言葉も重々しい武家言葉ではなく、伝法にしゃべることとなっていた。その様子は、自らも御家人の子である岡本綺堂の幕末江戸の風俗を活写した『半七捕物帳』に与力の部下の同心の話し方が活写されているところからもうかがえる。

町人は、ふつうは着流し、正装は紋つき羽織と袴であった。はき物は、武士も町人も、もはやくつではなく、草履と下駄となった。女性もまた、今日に伝わる和服と帯となった。そして、くつろぎ着には男女とも浴衣が登場し、寝所では、これも和風の寝まきを着するようになった。これが一新するのは、明治の「御維新」以降のことである。

旗袍は中国服ではない

では、漢字世界の中心をなしてきた中国はどうかというと、同じ「夷狄（いてき）」の征服王朝でもモンゴル人の元朝では、定住民の装いなどどうでもよいと思ったのか、モンゴル服もモンゴル風のまげも強制したりはしなかった。しかし、同じく「夷狄」出身の狩猟民である女真人の清朝では、満洲服に満洲風の「辮髪（べんぱつ）」、女性には足の成長を止めて小さいままとする纏足を強制した。こうしたことにより、前あわせで帯を締める伝統装は衰え、伝統的な長髪で結うまげは姿を消した。

この清朝の支配が二五〇年以上も続いたために、満洲服がかつてのいわゆる「支那服」、すなわち中国服となり、満洲式の女性の服が中国旗袍として知れわたるようになった。もっとも、前あわせで帯を締める伝統中国服は、僧侶や道教の道士のあいだでは法衣・道服として保たれ、満洲人の清朝文化を代表する皇帝、清朝第六代の乾隆帝も、中国趣味が昂じて、道服を身につけることもあったようだ。

「辮髪」はこういう事情で「夷狄」に強制されたものであったから、「夷狄」の支配に反抗するときは、辮髪を廃して長髪とする。清末の大宗教反乱「太平天国」の乱の参加者が体制側から「長髪賊」と呼ばれたのはこのためである。そして、いよいよ辛亥革命が起こって清朝が廃されると、たちまち今度は辮髪狩りとなった。そのありさまは、近代中国の大作家魯迅の『阿Q正伝』に描かれているのを覚えている方もあろう。

ターバンとヒジャーブと

さて、西方のアラビア文字世界としてのイスラム世界もまた、主に宗教に基づく独特の衣の世界を創り出した。イスラムの創始者、預言者ムハンマドは、門前町で商業都市でもあったメッカの商人出身だった。しかし、その数代前の御先祖は遊牧民だったといわれ、アラブ人の風俗には遊牧民の風が色濃く残っていた。

遊牧民は水に乏しく洗髪もままならぬ環境に暮らすため、髪はわずかに残しながら頭を剃り上げる習いがある。これは、モンゴル民族もトルコ民族も同じであるが、アラブ人もそうである。そのためか、イスラム教徒の男性には、頭に何もかぶらず無帽で人に対するのは無礼とする風がある。そこで戴くかぶり物の代表はターバンである。二〇世紀に入って、ムスタファ・ケマル・パシャ、後のアタテュルクの下でイスラムを国教から排し、ターバンを全国民に禁じ、徹底的な「西洋化」をはかったトルコ共和国でも、この風はしばらく残っていた。

ある高名な作家が、アタテュルク時代に、アナトリアの田舎町で講演したとき、この作家を敬愛する少年が、「お話ししたい」といったそうである。そこで作家が「いいよ」と応じたところ、少年は突然、姿を消してしまった。驚いているとまもなく鳥打帽をかぶって出直してきて、「すみません。先生に無帽でお話をうかがうのは大変失礼かと思い帽子をつけてきたのです」といったという。

かぶり物は、女性にはもっと大切だった。イスラムでは、女性が顔や髪や体の線を、家族以外の男性にさらすことが禁ぜられており、全身をすっぽりおおう、アラビア語でブルカ、トルコ語ではチャドルという、一種の「かつぎ」を身につける。そういったものでなくても、頭をすっぽりおおうアラビア語でヒジャーブ、トルコ語でチャルシャフというスカーフをまとうのである。

イスラム世界でも、「西洋化」による「近代化」が進むにつれて、宗教からの規制緩和としての「世俗化」も進み、大都市のとりわけ新市街では、顔や髪もおおわぬ女性も増えてはきた。しかし、下町、まして農村ではなお少なくとも頭をおおう女性も少なくない。そして、スンナ派イスラムの原理主義ワッハーブ派を奉ずるサウディ・アラビアでは、頭をおおわぬ女性は、風紀警察の取り締まりの対象になる。イランでは、パフレヴィー朝のシャーの時代には、このタブーに従わぬことが奨励された。しかし、イラン・イスラーム革命が起こり、イスラム主義政権の下に置かれると、女性はみな頭をおおわなければならなくなった。

ギリシア・ローマ風から西欧風へ

西方、古きギリシア・ローマ世界では、ギリシアでは裸体の上に布をまとい、ローマでも、上層の市民の正装は一枚布のトガであった。しかし、ビザンツ帝国の時代に入ると、皇帝もロング・ドレス風のものをまとうようになる。そして、ギリシア・キリル文字世界としてのビザンツ世界の衣鉢を継ぐ東欧正教世界のロシアでも、この遺風を継いでいたかにみえる。しかし、一七世紀の末から一八世紀初頭にかけて、ピョートル大帝が、近代西欧モデルを受容して、「西洋化」改革を大々的に始めると、ロシア伝統の長いあごひげを切り捨て、伝統装を廃して、当時の西欧の服装、上着に下は半ズボン風のものをつけて、そのうえにマントをはおるということになった。

さて、現代世界において、文明と文化のさまざまの分野でグローバル・モデルを創り出した西欧はどうかというと、その一五〇〇年近い歴史のなかで変遷をとげてきた。我々がふつう「洋服」と呼んでいるものが出現したのは、わりあいに新しいことだった。それでも一六世紀頃までには、下は半ズボン風のものをつけ、さらにマントをはおるのが支配層の正装となった。一方の庶民は、半ズボンを身につけられなかった。フランスで、「サン・キュロット（キュロットをはかない人）」といわれた由縁である。

しかし、この「サン・キュロット」が一七八九年には、フランス革命を起こして王制を廃し、政治的主導権を握った。彼らは上着と長ズボン姿が定番となっていった。支配層も、国王も軍人も軍服、官僚の正装は、大礼服、ふだんはフロック・コートとなっていった。さらに、燕尾服、モーニングが生まれ、通例は背広を着用することとなった。ちょうど、「サン・キュロット」が天下を握った少し後から、非西欧の異文化諸世界で、「西洋化」改革が開始され、「洋装」が受容されていった。

「西洋化」としての「洋装」

まずはじまったのは、軍隊の「西洋化」にともなう軍装の「西洋化」であった。この動きは、一七世紀末以後の東欧正教世界の中心ロシアのピョートル大帝の下ではじまり、洋装が強制され、ロシア風の長髯（ちょうぜん）も禁ぜられた。一八二六年には、イスラム世界のスンナ派の世界帝国、オスマン帝国でマフムート二世によってターバンと「土装（トルコ装）」が廃止され、「洋装」が軍人のみならず官僚にも強制された。明治日本でも、和装にかえて、軍人・官僚には洋装が求められた。ただ、オスマン帝国では、ターバンにかえて、洋帽でなくフェス（モロッコ帽）すなわち我々のいうトルコ帽が採用された。洋帽は「ギャーヴル・シャプカスゥ（不信心者の帽子）」としてインパクトが強すぎたためである。そして宗教関係者や一般人の「土装」とターバンはおかまいなしとなった。

それでも、一九世紀を通じ「ハイカラ」派の民間の人びとにもトルコ帽と洋装が浸透していった。国家によってターバン、「土装」に加えて、かつては「ハイカラ」さのシンボルだったトルコ帽まで全面的に禁止されたのは、ムスタファ・ケマル・パシャ、後のアタテュルク指導下のトルコ共和国においてである。このとき同時に、女性の全身を包むチャドルも禁ぜられ、頭をおおうチャルシャフ、すなわちスカーフも、公的な場所でまとうことが禁ぜられたのであった。

日本の場合は、一八七一年に散髪脱刀令が、そして、一八七六年には廃刀令もでて侍の特権だった帯刀が厳しく禁ぜられた。軍人・官僚のみならず一般庶民に至るまで男性のちょんまげが廃された。ただ女性の伝統的な「まげ」は許容された。また、軍人だけでなく、文官についても、高官の正装は洋風の大礼服となったが、官僚養成のための組織である東京帝国大学法学部の勅任教授にまでなった法哲学の筧克彦(かけいかつひこ)教授は、羽織袴姿で教壇に現れ、黒板に向かって「いやさか、いやさか」と唱えつつ柏手をうって拝礼して議義をはじめたという。

これに加えて、皇室では、即位の御大礼では黄櫨染御袍(こうろぜんのごほう)に纓(えい)の立った冠が用いられ、立太子礼では皇太子は黄丹(おうに)の袍(ほう)をまとう。皇后や皇太子妃もまた、平安以来の十二単をまとうこととなった。

大正天皇の即位の御大礼にあたっては、政府高官も束帯をまとったようである。ただ、即位の御大礼にあたっての天皇のかぶり物は、江戸時代末、すなわち孝明天皇の即位の時点では、より中国風の玉飾りつきの冕冠が用いられたという。明治天皇の御即位から冠は、「国風化」をめざし変えられたのである。

梵字世界の東南アジアでも唯一独立を保ったタイのチュラーロンコーン大王すなわちラーマ五世は、自らも軍人官僚も洋装とした。ただ即位式などでは、二一世紀になっておこなわれたラーマ一〇世も、伝統装をまとったようである。

漢字世界の中心を長らく占めてきた中国の清朝では、洋務運動開始後も、皇帝・官僚は伝統装をまといつづけた。近代西欧モデルを受容して組織されたはずの新式軍隊さえ、洋式の軍服ではなく、伝統装を保ち、上下一統、皇帝から庶民にいたるまで、満洲人伝統の辮髪を保ったのであった。辮髪が廃されるのは、ようやく一九一一年から一二年にかけての辛亥革命以後のことで、これは中国民族主義に由来するところが大であった。しかし、本来は満洲服であるはずだが、かつて日本で「支那服」と呼ばれた伝統服が全体的に廃止されたわけではなく、特に女性の旗袍は、独自の伝統ファッションとして今に盛行している。

独立国として「西洋化」改革に取り組んだ諸国の他に、欧米諸国の植民地となった諸地域でも植民者の政策により、程度はさまざまではあるが、社会の「西洋化」とともに洋装が浸透していく傾向をみせた。

人類の第一次グローバリゼーションのなかの「食文化」

生活文化三本の柱というと、昔からいわれてきた「衣食住」であろう。しかし、考えてみると、人類も「衣」については元来体毛と皮膚だけで生きてきたのが、猿人、原人と進化していくにつれて毛が薄くなり、現生人類となると、主に毛が生えているのは頭だけとなり、体毛はほとんど消えてしまった。それにともなって、着るものが必要となったのであって、なくても暮らせないこともない。実際、人類の文明の最先端を生きている、いわゆる最先進国では、ヌーディスト運動などというものもある。

「住」についても、その時その時の「居場所」がなければ生きていけない。しかし、雨露が平気なら野原でも森のなかでも、「居場所」になる。雨露をしのぎたければ、天然の洞穴などがあれば、屋根も壁もある立派な「居場所」になる。しかし、少しでも安全で居心地のよい「居場所」を求めて住居というものができた。気候環境さえ許せば、住居はなくても生きられないわけではない。

「衣」や「住」とくらべると、「食」は肉体を保ちエネルギーを得るために、動物たちと同様に、なくては生きることができない。さまざまの発見、発明で人類は着々とその「食」の幅を拡げてきた。火の利用も、土器づくりも、大いに貢献した。そして、「食」をより安定して確保する試みとして、農耕や牧畜が生まれた。とりわけ、農業の誕生は獲得経済から生産経済への移行として、「農業革命」と呼ばれ、人類文明の発展史上の大画期点とされてきた。

たしかに、「食」は文明の基いである。しかし、「何を食するか」「どう食するか」は、人類が原郷から出て、まずは「旧世界」の三大陸に、さらには「新世界」の二大陸に拡っていくなかで、居ついた空間の生態的環境により、多様化していった。後天的に習得する「文化」の多様化が進行するなかで、「何を食するか」「どう食するか」「何を好むか」「何を忌むか」についても、多様化が進んでいった。そして、「どう食するか」についても、「素材をどう調理するか」だけでなく、「食物をどういうかたちで食するか」、すなわち「食の作法」もまた多様化していった。

人類の棲息空間が拡がり、文明と文化のあり方が多様化していくという、人類のグローバリゼーションの第一段階につづいて、当初は小集団に分かれていた人類が、次第にいくつかの核に統合され、いくつかの相対的に自己完結的な「文化世界」となる。それらのいくつかが文字をもつに至って「文字世界」と化し、西欧人の「大航海」時代を転機として、全地球上の人類諸社会が唯一のグローバル・システムへと統合される。このように、「文字世界」としての「文化世界」がその相対的自己完結性を失い、「大文化圏」としての文字圏へと化していったのちにも、食材、料理、好みと禁忌、そして食の作法も含む「食の文化」の多様性は、かなりの程度に存続しているのである。

箸食、右手指食、フォーク・ナイフ食——「食」の文化としての「食の作法」

まずは、「食の作法」であるが、我々日本人は、世界のなかでも稀な作法でものを食している。箸の使用、「箸食」である。我々日本人は、自力でものを食べはじめるや否や、箸を使えといわれ、箸の使い方を学び、当たり前に箸でものを食せるようになっていく。

しかし、世界のなかで、箸でものを食べるのが基本的な「食の作法」であるのは、「漢字圏」、すなわち、かつての「漢字世界」に属してきた、中国、朝鮮半島、ヴェトナム、沖縄、そして日本だけである。この他としては、この「漢字圏」「箸食」世界から諸文化圏へと拡がった人びとの一部の間だけなのである。「漢字圏」の拡がりは、「箸食」圏としてとらえうることがわかるだろう。否、かつての「漢字世界」の拡がりをとらえるためには、今はラテン文字化してしまったヴェトナムやハングル文字化してしまった朝鮮半島も、「食の作法」では「箸食」を保っているのであるから、「箸食圏」に目をつけるほうが有益といえるかもしれない。

もっとも、世界的に珍しい「食の作法」としての「箸食」も、全地球上に中国料理が広まり、近年は日本のすき焼きや寿司、はては本物の「和食」までが広まりつつあるおかげで、特別のエスニック食を「通」らしく食べるための特殊的作法として、こなせる異文化の人びとも増えつつある。

「漢字世界」の流れをくむ「漢字圏」では「箸食」が「食の作法」の基本であるとすると、その西隣の「梵字世界」と、その西に中心をもつ「アラビア文字世界」は、いずれも、右手指食である。そして、この「食の作法」が成立したのは、いずれも宗教的戒律による。

西欧に入ったフォークとナイフ

といって、「箸食圏」としての「漢字圏」でも、「右手指食圏」としての「梵字圏」や「アラビア文字圏」でも、同文字圏内で「食の作法」に偏差が生ずる。例えば、現代の「漢字圏」でも、まず食卓に箸をおくときに、中国と朝鮮半島では、箸を縦に置く。これに対し、ヴェトナム、日本、沖縄では横に置く。そして、中国、ヴェトナム、日本、沖縄では、飯茶碗をもち上げて箸で食する。しかし、朝鮮半島では、飯茶碗をもち上げるのは厳禁で卓上に置いたまま、しかも箸ではなく、スプーンで食するのである。

「右手指食圏」の中心インドでは、我々がカレーと呼んでいるおかずと米飯を合わせて食するとき、まず一つまみずつまぜ合わせ、よくこねて固まったものを食する。しかし、インドシナ半島大陸部の上座部仏教圏でうるち米を食するところでは、米飯とカレーを混ぜはするが、ねりこねることはしない。そして、タイ東北部では、主食はうるち米よりもち米であり、籐の筒に入れて蒸したもち米のおこわを、右手の指先で掌のまん中にのせ、掌を動かして団子状とし、料理とは混ぜず、このもち米団子におかずを添えて食するのである。こねるか、混ぜるだけか、団子にするかは、もはや宗教的戒律によるわけではなく、好みと、もち米の場合は素材によるのであろうが、大文化圏内でも偏差を生ずる。

アラビア文字世界としてのイスラム世界の中心をなしてきた、いわゆる中東の三大言語圏の北西の四分の一を占めるトルコ圏と、南半全体を占めるアラブ圏でも、ピラフの食べ方を異にする。アラブ圏では、ピラフも他の食物と同様に右手指食であった。しかし、トルコ圏では、オスマン朝のミニアチュールの食事風景をみるかぎり、少なくとも「偉い人」たちは、汁物だけでなくピラフも匙で食するようになっていた。

さて、「旧世界」の「三大陸」の西北端をなすヨーロッパ大陸では、古きギリシア・ラテン文字世界でも、その衣鉢を継ぐビザンツ世界でも、さらには東西のキリスト教世界でも元来は、指食であった。

しかし、西ローマの版図は失ったものの唯一のローマ帝国となったビザンツ帝国で、少なくとも高貴の身分の人は、フォークとナイフで食事を摂るようになった。ビザンツの皇女がヴェネツィアの統領（ドゥジェ）の許に嫁いだとき、持参したフォークとナイフで食事を摂り、人びとを驚吃させたといわれる。西欧世界では、それまでは指食で、肉は大切りの肉片が与えられるために、各自がマイ・ナイフを持参してこれを切り分けて手で食べていた。しかも、食卓上に銘々皿はなく、取り分けられた肉を置くために肉置き用のパンがおかれていたという。

ビザンツの皇女がフォークとナイフを使う「食の作法」をもち込んで以降、これが上品ということになり、一五、一六世紀を通じて、ラテン文字世界としての西欧世界に徐々に拡がっていった。といっても、その西欧の英国では、一六世紀後半の食のマナーの本に、上品に食べるにはフォークとナイフでと書かれているとのことであるから、下々まで拡がるには時を要したことであろう。一六世紀後半、後年の大英帝国の礎を築いた、「星の処女神」、女王エリザベス一世陛下も、まだ幼い少女の頃は、手づかみで食事をされていたのかもしれない。

文化としての食の禁忌

さて、文化によって、食べてよいとされるものと、食べてはいけないとされるものが厳しく決まっているのは、近年、日本でも話題になっているムスリム、すなわちイスラム教徒用のハラール食などを通じて、知られてきた。

たしかにアラビア文字圏としてのイスラム圏の信仰の根幹であるイスラムでは、その戒律であるシャリーアによって、食べてはならないものが厳しく決まっている。第一は、豚肉と豚を原料とするすべてのものである。豚由来のものがいけないというのは、かつて国民の圧倒的多数がイスラム教徒のインドネシアで、我が日本の化学調味料の製造に豚由来の物質が使われているというので大騒ぎになったことにも表れている。

これに加えて、羊や牛のように食べてもよい動物の肉についても、シャリーアにのっとって、「大慈大悲のアッラーの御名において」と唱えたあとで、動物ののどを一気にかき切り、そして血をすっかり抜いてから処理せねばならないことになっている。

豚肉がタブーで宗教の戒律に従って処理された肉以外は食べてはならないというのは、一神教の先輩のユダヤ教も同じである。ともに、豚は不浄の生き物だからというのである。これに対し、同じ一神教でもユダヤ教の改革派というべきキリスト教では、肉食についてのこのような戒律はない。ただ、カトリックの場合、イエス様が十字架にかけられたことになっている金曜日には肉食を避けて魚を食べようということになっている。

梵字世界の源泉となったインドのヒンドゥー教では、イスラムやユダヤ教で不浄の生き物とされた豚とはちがって、牛が今度は神聖な動物として食べてはいけないことになっている。そして、ヒンドゥー教の元となったバラモン教の改革派の一つであるジャイナ教では、殺生はいっさい封ぜられており、肉食はいっさい許されない。

これに対し、ジャイナ教と同じくバラモン教の改革派の一つの仏教で、スリランカやインドシナ半島大陸部のビルマ、タイ、ラオス、カンボジアで今も栄えている上座部仏教では、こうした厳しい食のタブーはないようである。

「四本足のものは机と椅子以外何でも食べる」――漢字圏とタブー

漢字圏となると、儒教にはこういう食のタブーがまったくない。逆に中国については、「四本足のものでは机と椅子以外、空を飛ぶものでは飛行機以外、何でも食べる」とまでいわれる。広東では、ヘビも「龍」、猫も「虎」ということになって「龍虎なんとか菜」などといって食べられるそうである。日本にも入ってきて果物を食い荒らし、有害動物にされてしまっているハクビシンも中国では食べるそうで、これが新しい感染症の病源となって騒ぎになったことがある。

同じ漢字圏のヴェトナムでも、牛、豚、鳥と何の肉でも食べるようである。朝鮮半島では、鶏肉の参鶏湯(サムゲタン)とともに、犬の肉のスープは、補身湯(ポシンタン)として夏の暑気払いの滋養食物とされるが、ソウル・オリンピックに際し、欧米人に「野蛮」といわれそうだと騒ぎになった。もっとも犬は、中国でも食べられてきて、チャウチャウ犬という赤毛の犬の用法の一つは食用だったという。今日の我々は、「犬食は」と敬遠しがちであるが、歴史的には、日本でも犬が食べられた時代があったようである。

犬といえば、愛玩犬の代表の一つに、超小型のチワワがいるが、チワワの原産地はメキシコである。なぜチワワが小型かというと、スペイン人が来る前のメキシコでは、チワワはもっぱら食用で、丸ごと調理しやすいようにと超小型になったのだそうである。征服者としてメキシコにやってきたスペイン人は、番犬にも猟犬にもつかえない超小型のチワワをみて、なんでこんな何の役にもたたない犬をメキシコ人は飼っているのか、不思議がったそうであるが、別の方面で役だっていたのである。

さて、我が日本では、古くは獣肉、鳥肉などが食べられていた。しかし、奈良時代あたりから「四本足」の獣肉は忌まれるようになっていった。その理由については、仏教によるとか、農作業に使う牛を守るためとか、いろいろ議論されているようであるが、我が日本が、中央アジアのステップなどとちがい畜産にあまり向かない土地であったこともあろう。狩猟についても、武家時代に入り、次第に好ましくないということになっていったそうである。しかし、それでは困るというので、鹿狩りなどは、お諏訪様（諏訪神社）に頼って、おこなってもよいことにしてもらったりもしたという。庶民の方も、肉食は「薬食い」として、いのししを「山鯨」と称して食べるには食べた。

海産物について、漢字圏ではタブーはない。西欧人も、タコを「デヴィル・フィッシュ」すなわち「悪魔魚」と呼んでこわがって食べなかったくらいで、ほとんど何でも食べる。これに対して、イスラム圏では、うろこのない海のものは食べてはいけないと戒律シャリーアにあるとの主張がある。実際、エビやカニやイカやタコは好まれなかった。もっとも、共存しているキリスト教徒のギリシア人やアルメニア人は、好んで食べ、今はトルコの海鮮レストランなどでは、輪切りのイカを揚げたものなどがメニューにのぼる。
うろこのない海のもののタブーの源流はユダヤ教で、イスラムにもこれを忌む意見があるのは、ユダヤ教のタブーの影響だろうという説もある。

酒と宗教

東西キリスト教世界では、元来は酒についてのタブーはなかった。カトリックの修道院には酒造場として有名なものも多々ある。ただラテン文字世界としての西欧世界で一六世紀に宗教改革がはじまり、プロテスタントが誕生すると、その諸宗派のなかには酒をタブーとするものも現れた。その下地があるので、戦間期のアメリカで禁酒法が生まれたのである。トランプ大統領は、絶対に酒をたしなまないという。しかし、カトリックの場合、赤ブドウ酒は、イエス様の血になぞらえられ、赤ブドウ酒なしには聖体拝受の儀式もなりたたない。

一神教の元祖のユダヤ教でも、ブドウ酒は「過ぎこしの祭」をはじめ不可欠である。ただユダヤ教の場合、ユダヤ教徒により醸されたもの以外はタブーとなる。

イスラムでは、酒はシャリーアで禁ぜられている。ただその理由としては、全面的に禁ぜられていると解すべきところと、理性を乱すからと解すべきところがある。しかし、いずれにせよ、酒はタブーとなった。ただ、「啓典の民」として許容されているキリスト教徒やユダヤ教徒は、ムスリムに売ったり、すすめたりしないかぎり、自分たちで醸し、売り買いし、たしなむことはシャリーアでは公式に認められており、酒税までとっていた。ムスリムであろうが非ムスリムであろうが、酒は御法度というのは、行き過ぎなのである。

もっとも、歴史的には、「良くないムスリム」はいつもいて、「啓典の民」の営む居酒屋に出入りする者はあった。そこで、オスマン帝国の帝都イスタンブルでも、居酒屋禁止令が出ているが、何度も出ているところをみると禁圧は難しかったのだろう。

醤油、魚醤、唐辛子——漢字世界の調味料

さて、食のタブーも、文化を異にすると千差万別であるが、実際の料理のベースになる調味料もまた、文化ごとにさまざまである。

漢字世界では、蛋白質を発酵させたものを調味料として用いるところに特色がある。中国では、植物性の大豆と小麦を原料に、味噌、醤油を発明し、これが朝鮮半島、日本、そして沖縄にも入っていった。ただヴェトナムでは、魚醤(ぎょしょう)のニョクマムが基本となった。日本でも、かつては魚に塩を加えて発酵させた魚醤も盛んであったというが、おそらく保存輸送が難しかったのであろう、醤油にほとんど淘汰されてしまった。魚醤はマイナーなものとなり、秋田の「しょっつる」くらいしかあまり知られていない。

漢字世界では、スパイス、ハーブも隣の梵字世界に比すると、用い方は、ごく限定的である。とりわけ、日本はそうである。辛味材としては、中国では山椒を主に用いた。かつては、朝鮮半島でも日本でもその山椒の使用さえ限られていた。今日では中国の四川料理や湖南料理、そして韓国料理は唐辛子の辛みがつきものであるが、そもそも唐辛子は、「新大陸」産であり、「大航海」時代以降、西欧人によって漢字世界にもたらされた。とりわけ朝鮮半島には、一七世紀に日本から唐辛子が入り、当初は、「我々を害するために倭人が送り込んだ」といわれたそうであるが、そのうち輸出元の日本よりずっと唐辛子になじみ、唐辛子ぬきの生活は考えられなくなった。今日では唐辛子で赤く辛いのがキムチであるが、日本経由で唐辛子が入る前は、今日、「ムル・キムチ（水キムチ）」と呼ばれている、薄塩でほんのり甘みのする白いキムチだったのである。西欧人の「大航海」は、四川と朝鮮半島の食文化にまで深甚な影響を与えたのである。沖縄では、唐辛子を「コーレ・グース」と呼ぶが、これは「高麗草」がもとで、沖縄には朝鮮半島経由で入ったのであろう。

米食と麦食

主食は、中国北部は元来は麦食圏で、それも粉食をしない頃は炊いた麦を食し、これを食するには匙が有効だったのが、やがて粉食化して中味のない饅頭となったうえに、ねばりのある米飯がでてきて箸が主流化したという。そして漢字世界は、中国北部を除けば、ほぼ米食圏となった。といって庶民がいつも米を食べられるわけではなく、江戸時代の日本では、米はもっぱら年貢用で農村の庶民は主として雑穀を食べていた。

漢字世界の料理についてみれば、その源流は中国料理である。といっても、北京宮廷料理といわれているものが今日に近いものとなったのは清の乾隆帝の時代であったようである。

朝鮮半島は中国と陸続きで、その一部は漢代には中国の支配下にあった。早くから中国文化の強い影響を受けてきたはずであるが、二〇〇〇年にも及ぶ年月を経てかなり独自のものとなった。そして、東端の日本は、中国とは直接接触が限られ、はるか遠方にあり、獣肉のタブー化も進んだため、肉といえば鳥肉をわずかに用いるくらいで、海産物と野菜を主素材とし、最も独自の料理体系ができあがっていった。といっても、日本の料理も真に発展をとげたのは一八世紀から一九世紀にかけてであったようである。

沖縄については、少なくともその宮廷料理というものは、中国からの冊封使（さっぽうし）をもてなすべく、その口に合うよう、中国料理を沖縄風にアレンジして、一八世紀にできあがったようである。そして、沖縄に強い影響を与えたのは、中国への進貢船の発着所である福建省の福州であったであろう。琉球王国時代の宮廷の甘味として、桔餅（きっぱん）というものがある。「くねんぼ」の皮を砂糖を加えて煮つめ、つぶして平たい円形にまとめ糖衣をつけた菓子であるが、その原形は福州に今も残るときく。

梵字世界に目を転ずれば、インド北部の他は東南アジアも含めてほぼ米食圏である。そこでのスパイスをふんだんに用いた、我々日本人がカレーと呼ぶ料理は、インドを源流とするが、東南アジア大陸部の梵字世界の四社会にも根づき、はてはアラビア文字世界に包摂されたマレー半島、インドネシアにも入っている。しかし、我々の呼ぶ「カレー」の伝統は、ヴェトナムには、基本的には入っていない。

その西に拡がるアラビア文字世界としてのイスラム世界は、ほぼ麦食圏で、米のピラフは、主食というより「食べで」のある副食である。料理の伝統は、イラクを拠点としたアッバース朝の時代に原型が成立した。そして、これが東西南北に拡がり、広大な空間で地域ごとの特色を帯びた。しかし、焼き肉料理は、アラビア語起源のカバブの名とともに、東は今日の新疆ウイグル自治区から中央アジア、北インド、イラン、トルコ圏からアラブ圏まで拡がっている。ただ、そのアラブ圏でも、シリアと、うさぎ汁ベースのモルヘイヤのスープや米麵まぜ料理のコシャリなどのエジプト料理と、クスクスを特色とする北アフリカ西半のマグリブとでは、ずいぶんと異なるものとなっている。そして、「中東」の西北端のトルコでは、イランの古典料理の強い影響下に、地中海の食材世界とビザンツの食文化の影響もあわせて、独自の発展をとげた。

西洋料理を変えた新大陸の食材

五大文字世界の西北端のラテン文字世界としての西欧世界は、ほぼ完全に麦食圏である。漢字世界の中国北部では蒸しパンともいうべき饅頭なのに対し、西欧ではかまどで焼いたパンを食する。そして、御馳走は肉である。西欧世界は、西ローマ帝国の衣鉢を継いだはずではあるが、その料理の伝統はむしろ素朴であった。

しかし、西欧「中世」末期からルネサンス期にかけて、まずイタリアで料理も菓子も洗練されてきた。そして、一六世紀半ば、メディチ家のカトリーヌ・ド・メディチがヴァロア朝のフランス王の許に嫁いだときに、コックやパティシエを伴い、フランス料理の基礎ができる。

一七世紀後半ブルボン朝のルイ一四世時代には、最先端の料理となり、その影響は西欧世界をこえて、キリスト教の東欧正教世界にも及ぶようになる。さらには、一九世紀に、グローバリゼーションの流れのなかで、非キリスト教の諸文化世界で「西洋化」による「近代化」の試みが進行し、文明の分野のみならず文化の分野で「西洋受容」もはじまり、「西洋料理」も流入していった。

この西欧の料理について忘れてはならないのは、「大航海」時代以降、「新大陸」から新奇な食材、嗜好品が西欧にもたらされ、これを「旧世界」の諸社会に伝えたことである。西欧自体の食文化のみならず全世界の食文化に大きな影響を与えたのである。タバコ、カカオ、唐辛子、ピーマン、トマト、そしてジャガイモやサツマイモ、さらには隠元豆も、もとはといえば「新大陸」産で、西欧人によって「大航海」時代以降、「旧世界」にもたらされた。実際、イタリア書籍輸入業者にしてイタリア料理店としても名高い高田馬場の「文流」の店主であり、イタリア料理研究家でもある西村氏が、地中海学会の催しの一環としてルネサンス・イタリア料理のディナーを供せられたとき列席したことがあるが、料理のほとんどすべてがベージュ色で一驚したことがあった。

「舌」のグローバリゼーション

グローバリゼーションの波は、動物でもある人間の生存の根幹に関わる食の世界にも容赦なく訪れる。やはり食においても、すべての異文化世界に侵入したのは、文明の諸分野で圧倒的な比較優位を確立した西欧世界の食文化であった。

西欧世界の東隣・南隣にあって直接接するイスラム世界は、多宗教・多宗派・多言語・多民族の世界で、しかも、おおむね「開国」状態にあって西欧人が常時往来し、ラテン系の母語をもち、カトリックの東地中海の「ラテン人」の如く、イスラム世界内に定住化した人びとさえいた。しかも、とりわけ非ムスリムの人びとのなかには西欧世界と往還する者もあった。それ故、外に対して閉鎖的であった漢字世界などとちがい、西欧の食文化は、少なくとも非ムスリムの世界の一部には未知のものではなかった。しかし、中心をなすムスリムにとっては、イスラムの戒律シャリーアに基づく食のタブーもあり、西欧食は長らく縁遠いものであった。一八世紀に至っても、西欧へのオスマン帝国の使節団などは、主な食材は本国より持ち込み、宿舎では同伴してきたコックたちが、トルコ料理を作り供していた。

このようななかで、「西洋化」改革が進行していくと、一九世紀中頃には、オスマン帝国でも帝都イスタンブルの新市街には、ヨーロッパからの旅人のための西欧式ホテルも開かれ、西欧式のカフェやレストランも開かれるようになる。ムスリムの官僚・政治家で著作家ともなったアフメット・ミドハトの一八七〇年代初頭の小説『洒落者』では、ムスリムでありながら洋服をまとって西洋料理店にも出入りするハイカラ気どりの若者も登場する。そして、一八八〇年代初めに初版が出版された料理大全というべき『主婦〈エヴ・カドン〉』という料理本では、「トルコ風〈ア・ラ・テュルカ〉」に加えて、「西洋風〈ア・ラ・フランガ〉」の項が設けられ、当時としての新奇な食材としての馬鈴薯やトマトを用いた「西洋風料理」も紹介されている。もっともトマトは古くは「バンディジャーヌ・エフランジュ〈フランク人〈西欧人〉の茄子〉」と呼ばれた。この名前は、中国でトマトを「蕃茄(ばんか)〈南蛮人の茄子〉」と呼んだのと発想を同じくしている。

しかし、外国の賓客・使節をもてなすにあたっては、宮廷でもトルコ料理が供されたようである。そして、「西洋料理店」は、洋風ホテルのレストランを除けば、共和国期に入ってもかなり限られており、一般庶民のあいだでは、ほとんどトルコ食が食されていた。それは、筆者が留学で一九七二年から七五年にわたりイスタンブルに滞在した時でも、そうであった。

根強い「食」の伝統

西欧世界と最も遠く、一九世紀も中葉近くになってようやく西欧世界と密接な関係をもちはじめた漢字世界の場合、長らくその中心をなしてきた清朝では、アヘン戦争で英国に割譲された香港や、西欧人の居留地となりその拠点となった上海などはおくと、西欧の食文化の浸透はなかなか進展しなかった。政府が外国からの賓客をもてなすにも、現在の中華人民共和国においてさえ、中国料理が供されている。中国化された西欧料理というのも、エッグタルトくらいのものであろう。

これに対し、日本の場合、西欧人との接触がオランダ人に限られ、そのオランダ人も長崎の出島で隔離されていた。出島以外ではわずかにオランダ東インド会社の長崎商館長（カピタン）の定例の江戸参府行の際に、蘭学者が接触するにとどまった。一八世紀末以降、蘭学者たちは、「オランダ正月」をもよおし、欧風料理を楽しんだという記録が残るくらいである。もっとも、菓子の世界では、長崎のカステラ、平戸のカスドースなど日本化した南蛮菓子が定着していた。それに加えて、福岡の松屋の「鶏卵素麵」も、元来はポルトガルの甘味であったものが日本化したものであった。

しかし、「開国」後は、徳川慶喜が、豚肉を食して「豚一様（豚を召し上がる一橋様）」と呼ばれ、維新後は西欧の肉食の国にならって、和食ではあるが、「牛鍋」が流行しはじめた。そして、精養軒、凮月堂などの「西洋料理店」が現れ、村上開進堂が宮中も含めた西洋菓子の御用をうけたまわるようになった。宮中でも、外国の賓客をもてなすに際しては、もっぱらフランス料理を供することになった。

西洋料理店が次第に拡がり、日本化された西洋料理として、ポーク・カトレットを日本化した銀座煉瓦亭が源流となって「豚カツ」が生まれていった。海軍では、英国をモデルとして、インド料理を英国化したものをカレー・ライスとして受容した。横須賀海軍カレーの源流である。

さらに、日本では、大正末から昭和戦前期にかけて、日本化した西洋料理としての「洋食」が生まれ、これを箸で供する洋食屋なるものも誕生した。

とはいえ、「西洋料理」の浸透は、都市部の上流階級、新中間層にとどまり、下町では、洋食屋が旧中産層の一部、そして花柳界に浸透するにとどまった。「西洋料理」が、都市の一般庶民、さらに地方に浸透しはじめるのは第二次世界大戦後のことであろう。

「食」の世界は、伝統が根強く、「舌」が文化変容を受け容れる速度は遅々としているのであるが、グローバリゼーションの第二段階の画期となった西欧人の「大航海」時代は、食文化の世界にも、決定的な影響を与えたのである。

第六章　グローバリゼーションと文化変容

「大航海」時代という画期

グローバリゼーションというと、前にもふれたが、地球上の諸社会が近年、経済的・科学技術的・情報的に急速に関係を密接化しつつある事態と考えられがちである。はては、二〇世紀末の我が国では、グローバリゼーションは、実質的にはアメリカの比較優位の下におけるアメリカ化とほとんど同義であるかのようにさえとらえられた。

しかし、本書では、これも前に何回かふれたことであるが、グローバリゼーションを人類の歴史を貫通する流れとしてとらえたい。

グローバリゼーションの第二段階が一挙に進みだしたのは、一五世紀末からの西欧人の「大航海」時代だった。ポルトガルは、一四九八年、大西洋とインド洋を結ぶアフリカ南端回り航路を開くことに成功した。スペインの支援の下に大西洋を横断してインド、そして黄金の島ジパングすなわち日本をめざしたコロンブスは、一四九二年、いわば「けがの功名」で「新大陸」に到達する。その後の冒険者たちが太平洋岸に達し、一五一九年には、マゼランの船隊は、南米大陸南端を回航し、太平洋を横断してフィリピンに到り、さらにインド洋を横断してアフリカ南端を回って大西洋に入り、一五二二年には、セビリヤに帰港する。初めての世界周航成功である。こうして、その時代まではほとんど没交渉だった「旧世界」のアジア・アフリカ・ヨーロッパの「三大陸」と、「新世界」の南北両大陸が密接に結びつけられていくきっかけとなった。

一六世紀から一七世紀にかけて、西欧人たちは、高度の大洋航海用の船舶建造技術と航海術を生み出し、五大陸に拠点をつくり、三大洋を往来する航路を開いた。三大洋五大陸を結ぶネットワークがつくられ、圧倒的な火砲をもって中南米をはじめ抵抗力の弱かった地域を植民地化していった。そして、西欧人を原動力として形成されてきたネットワークは、一八世紀から一九世紀にかけて、全地球を包摂する唯一のグローバル・システムへと創り上げられていった。これを、「近代世界体系」と名づけえよう。

ラテン文字世界としての西欧世界では、対外進出と表裏をなして、軍事力、科学技術、そして経済システムの革新が進み、支配組織と経営組織の革新も進んでいった。支配組織については、従来の分権的な封建制から、君主専制的・中央集権的な絶対王政下で官僚制と常備軍が発展していった。経済の世界では、莫大な資本を集積しうる株式会社が生まれ、生産のシステムも、問屋制手工業からマニュファクチュアへと進み、さらに一八世紀後半に入ると工場制生産システムが生まれていった。こうしたなか、非西欧諸文化世界も、「近代世界体系」に包摂されつつ、文明の諸分野で圧倒的な比較優位に立った近代西欧世界に対抗すべく、自己変革を試みざるをえなくなっていった。

非西欧諸国の「西洋化」改革

文明の諸分野における西欧世界の比較優位が確立していくなかで、近代西欧モデルの受容による自己変革の試みにまず着手したのは、東ローマ帝国の衣鉢を継ぐ東欧正教世界の中核となったロシアであった。ロシアでは、すでに一七世紀後半には西欧の影響が浸透しつつあったが、一七世紀末に、ピョートル大帝は、自らも西欧視察旅行に変名で加わった。そして支配組織の体系的な「西洋化」改革を進めた。その手始めが銃兵隊の解体であった。銃兵隊は、一六世紀のイヴァン四世、すなわち雷帝が創設し、大貴族を打倒し、ツァーリ専制体制を築く支えとなった。しかし当時は守旧派の支柱となっていた。こうした改革の結果、後進国とみられていたロシアを、ヨーロッパ列強の一つにするのに成功した。

これに続き、アラビア文字世界としてのイスラム世界の世界帝国的存在であったオスマン帝国も、一六八三年の第二次ウィーン包囲の失敗以来、力を失いはじめ、一八世紀前半に、近代西欧モデルの受容による「西洋化」改革に着手した。しかし既得権に固執する守旧派勢力が強く、一八世紀を通じて断続的に試みられた改革は部分的にとどまった。一七九八年、ナポレオンのオスマン領エジプトへの侵攻にあたって、オスマン本国より派遣された非正規部隊の副隊長としてエジプトに渡ったのが、ムハンマド・アリーであった。ムハンマド・アリーはナポレオン撤退後の混乱のなかで自力でエジプト総督となった。彼はオスマン朝の一州であったエジプトで、守旧勢力の核であったマムルーク勢力を一掃して、近代西欧モデル受容による体系的な「西洋化」改革に着手し、強力な新軍隊を築いた。オスマン中央に対抗しうるほどの力を蓄えるに至った。

オスマン帝国中央では、一七八九年に即位した第二八代セリム三世が体系的「西洋化」改革を試みたが、守旧派の反乱で挫折した。その後、一八二六年に至りようやく、オスマン朝第三〇代マフムート二世が、常備歩兵軍団たるイェニチェリ軍団の潰滅に成功する。イェニチェリ軍団は、一六世紀には最精鋭を誇っていたが、もはや守旧派の巣窟となっていた。その後、近代西欧モデルの新式軍隊を組織し、体系的な「西洋化」改革を進めた。オスマン帝国では、一八三九年から一八七六年、すなわちマフムート二世没後からオスマン帝国憲法発布までのタンズィマート改革のなかで、近代西欧モデル受容による体系的な「西洋化」改革が、ほぼ定着することを得た。イランの場合、カージャル朝支配下にあったが、「西洋化」改革ははるかに遅れ、一九世紀後半に入りようやく進行しはじめた。

梵字世界の源流ながらムスリムのムガル帝国支配下にあったインドでは、一八世紀末には英国の東インド会社が実権を握った。そして一八五七、五八年のいわゆる「セポイの反乱」の鎮圧後、一八五八年にムガル帝国は廃され、一八七七年には、英領インド帝国として、英国の完全な植民地となった。インドでの「西洋化」改革は、英国による植民地支配の便宜のために進められることになった。

梵字世界の東南アジア部で独立を保ったのは、チャクリー朝のタイのみであった。タイでは、一九世紀中葉、チャクリー朝第四代ラーマ四世の下で「西洋化」改革が始まった。その後、一八六八年に即位した、その子ラーマ五世チュラーロンコーン大王の下で本格的に改革が進められた。大貴族層が排され、君主専制的・中央集権的な支配組織が近代西欧の組織モデルを導入しつつ形成されていった。なおラーマ五世の父、ラーマ四世モンクット王は、ミュージカル『王様と私』のタイの王様のモデルである。

漢字世界においては、長らくその中心であった中国の清朝では、一八六〇年のアロー号戦争の敗北と英仏軍の北京占領の後、近代西欧モデルの受容による「西洋化」改革が始まる。まずは「洋務運動」として上海はじめ沿海部で、改革に着手したのは、太平天国の乱平定に貢献した科挙官僚の曾国藩（そうこくはん）や李鴻章（りこうしょう）であった。彼らが権力中枢に入るにつれて帝国中央に波及していった。

漢字世界の東端の日本でも、黒船来航後の混乱のなかで、まずは、長州、佐賀、薩摩の西南雄藩で近代西欧モデルの新式軍隊創設が始まった。長州軍は、第二次長州戦争で追討の幕府軍を破り、薩摩では生麦事件徴罰のために侵攻した英海軍に鹿児島の街の多くを焼かれたものの、英国艦隊の旗艦の錨を獲得するに至った。その後、幕府中央でも、フランスの協力の下に、近代西欧モデルの歩兵と騎兵が創新され、新式海軍の発展もめざされた。しかし、これらの試みが定着する前に、一八六七年の大政奉還と一八六八年の王政復古で「明治維新」が成った。日本における近代西欧モデル受容による本格的な「西洋化」改革は、それ以後、「明治改革」として推進されることとなった。

同じ漢字世界の朝鮮王朝やヴェトナムでは「西洋化」改革は、はなはだ遅れた。ヴェトナムは清仏戦争の結果、一八八五年にフランスの保護国として植民地となった。朝鮮王朝は、一九一〇年に日本に併合され、「西洋化」改革は、植民地支配体制の下で進んでいくこととなった。

グローバル・システムのサブ・システムへ

非西欧の文字世界としての諸文化世界が迫られた改革は、近代西欧モデルの受容によるものだったため、「西洋化」改革と呼んできた。この改革は近代西欧が文明の諸分野でもつに至った比較優位に対抗すべく近代西欧モデルを受容していく試みであり、文明の諸分野で西欧の達成した「近代性」を自らのものとしようとした試みであったから、これを「近代化」と呼びえよう。

この試みのなかで、文字世界としての諸文化世界は、西欧世界を原動力として創成されてきた唯一のグローバル・システムとしての「近代世界体系」へと包摂されて、その相対的自己完結性を失い、グローバル・システムのサブ・システムと化していく。西欧世界自体も、他の諸文化世界に対し圧倒的な比較優位をえていくなかで、自らも自己完結性を失いつつ、グローバル・システムにおける主要なイノヴェーションの源泉となり、その所産がグローバル・モデルとなっていったのである。

法の近代化——日本とオスマン帝国の「民法典論争」

近代西欧生まれのグローバル・モデルで、非西欧諸世界における文明の諸分野での「西洋化」としての「近代化」のなかでまず受容されたのは、軍事組織と軍事技術、軍事分野の教育システム、それに続いて支配組織のモデルと文民分野の教育システムであった。

さらに、法律体系については、伝統的法規範と伝統文化とのかかわりにより、受容の様態はさまざまであった。明治日本では、不平等条約の改正の条件として、近代西欧法の受容がめざされた。しかし「お雇い外国人」の仏人ボアソナードの努力により編纂された民法典は「民法出て忠孝亡ぶ」として民法典論争にさらされて廃案となり、とりわけ親族相続法の部分で近世武家法の影響が入り込んだ民法典が成立することになった。ただ、明治日本で、「近代」法典編纂が比較的速やかに進んだのは、日本の伝統法が、宗教的戒律とまったく関係をもたなかったことが大きかったと思われる。

これに対し、オスマン帝国でも法律体系の「近代化」がめざされたが、とりわけ「民法典」については、法律的部分も含むイスラムの戒律シャリーアが存在しているため激しい議論の対象となった。オスマン帝国でも、「民法典」論争が起こったのである。

オスマン帝国の民法典論争では、見解は三つに分かれた。最も「保守」的なものは、「新たに民法典は編纂せず、従来通りシャリーアに委ねる」というものであった。第二の見解は、近代西欧法は受容しないが、シャリーア中の関連規定を、「成文法」化するというものであった。そして第三は、近代西欧法を受容して、諸法典を編纂すべしというものであった。激しい議論の結果、シャリーア中の関係規定を成文法化することになった。この結果作成されたのが『メジェッレ』と呼ばれるもので、トルコ共和国が成立し、当時最も先進的といわれたスイス民法典をモデルとするトルコ民法典が発布されるまで効力を保った。そして、オスマン帝国解体後、国際連盟の委任統治領として英国の統治下におかれたパレスティナでは、効力を保ちつづけた。

文明諸分野でのグローバル・モデルとなった近代西欧モデルの受容は、産業・経済システムにおける株式会社や機械制工場生産システム、科学技術、さらには人文社会系の「学問」にまで及んだ。ただ、その受容の様態は、文化圏により、さらにはそのなかの社会により、大きく異なることになった。「明治改革」においては、「富国強兵」「殖産興業」のスローガンの下に近代西欧の経済生産システムを迅速かつ体系的に取り入れたことが大きな意味をもった。これに対し、例えば、オスマン帝国の場合、この分野における改革は、はなはだ遅々としたものとなった。

斉一化と多様化——文化のグローバリゼーション

文明の諸分野で近代西欧モデルがグローバル・モデルとして受容されていくなかで、文化の領域においても、近代西欧文化の諸側面の受容が進行していった。文明の諸分野においてのみならず、文化の諸分野においても「西洋化」が進行していったのである。そして、文化の多くの分野で、近代西欧モデルがグローバル化していった。

このことは、人間の「目」や「耳」が少なくとも部分的には、「西洋化」されて、新しい「受け皿」が用意されたことを意味する。そこで一方では、文字圏としての文化圏の籬(まがき)をこえて共通のグローバル文化とでもいうべき領域が生まれてきた。今日、「芸術は、国家も民族も越える」などといわれるが、それはこの近代西欧ベースのグローバル文化が形成されてきたからなのである。もし形成されていなければ、とりわけインターナショナルだとされる音楽でさえ、そうはいかなかったであろう。

さて、他方では、一文化圏、一社会内では、文明についても、文化のなかでも「近代的」対「伝統的」、ないし「外来的」対「土着的」ないしは「在来的」な二つの分野が並立して現れることになる。我が日本にあてはめてみれば、「洋風」と「和風」であり、トルコなら、今ではやや古い表現だが、イタリア語起源の「ア・ラ・フランガ」と「ア・ラ・テュルカ」となるのである。グローバリゼーションは文明においてのみならず文化においても、「斉一化」をもたらす。これに加えて、文明と文化における二分化、そしてまた交流の頻繁化、密接化により、また同時に「多様化」をももたらすのである。

ロシアとイスラム世界の「近代文学」

文化の「西洋化」は、生活文化にとどまらず、「精神文化」というべき文学・芸術・音楽等においても進行した。

とりわけ、文字文化の世界で、突出して重要なのは「文学」であろう。「文学」については、「文学とは何ぞや」ということになると多くの紙数を要するので、本書では「言語を媒体として感興をおこさせる営為及びその所産の総体」と定義しておく。となれば、文字化された文学以外に口誦文学もあるが、ここでは文字化された文学を中心に論じたい。

近代西欧文学の受容過程は、伝統文学のあり方により大きく制約されているように思われる。そして、受容の媒体となった西欧語も、社会により異なっている。

最も早く近代西欧文学の影響が及んだのは、東西は異にするも同じくローマ帝国の衣鉢を継ぎ、同じキリスト教圏に属するギリシア・キリル文字世界の中心をなしたロシアであった。そして媒体となった西欧語は、ほとんどフランス語であった。すでに一八世紀末には、エカテリーナ二世は、出自はドイツ人ではあったが、当時のフランスの啓蒙思想家らと密接な交遊を有していた。そして、一九世紀中葉には、プーシキンのような詩人が現れ、後半には、ドストエフスキーやトルストイのような長編作家も続々と現れた。戯曲でもチェーホフらが登場し、作品の水準でも西欧圏のそれと遜色のない水準に達していた。

ついで、近代西欧文学の影響が及んだのは、イスラム世界であった。そして、その中核をなす「中東」で媒体となった言語は、もっぱらフランス語であった。イスラム世界では、伝統的な文学の中心は、韻文、それも古典定型詩であった。長編物語の伝統はなく、物語は、『千夜一夜物語』に結集されたものにみるような、いわば日本の『おとぎ草子』のような短い物語であった。そして戯曲は、ムスリムのあいだでは、シーア派のイランの殉教劇とオスマン帝国のトルコ圏の影絵劇「カラギョズ」を除けば、さしたる発展をみなかった。

このようななかで、イスラム世界最後の世界帝国であったオスマン帝国のトルコ圏を例にとれば、一九世紀中葉に西欧を舞台とするものを含む短編集が現れたが、むしろ、伝統的なヒキャーエ物語の発展形態のようなものであった。

西欧文学の影響は、まずは翻訳として、一八七〇年代初めに現れた。それは、フランス人フェヌロンの『テレマックの冒険』であった。仏文から訳され、大宰相ともなったユースフ・キャーミル・パシャの名の下に刊行されたこの翻訳は、大セルジューク朝の高名な宰相、ニザーム・アル・ムルクの『統治の書』などにつらなる政治指南の書として刊行された。そしてその文体も古風なものであった。もっとも原著も、フランスの王太子のための教訓の書として書かれたものであった。

ただ、これに続いて現れた翻訳の中心は、フランス語の大衆小説類であり、その多くは、まずはアルメニア人によりトルコ語訳され、アルメニア文字で刊行され、その後にアラビア文字で表記されるトルコ語であるオスマン語でも刊行された。ギリシア系臣民で近代演劇運動で大きな役割を果たしたテオドール・カッサーブ訳によるデュマの『モンテ・クリスト』は、我が日本の黒岩涙香（くろいわるいこう）の『巌窟王』のような翻案的抄訳とはわけがちがう、本格的翻訳であった。

劇作としては、オスマン朝における立憲主義運動の先駆者の一人ナームク・ケマルによる『祖国、あるいはシルシトラ』と題するものがあったが、これは国民主義的愛国心を鼓舞しようという政治的宣伝劇であった。ナームク・ケマルは、古典定型詩から離れた自由詩としての新体詩の先駆者でもあった。もっとも、用いられる語彙は、いかにもオスマン的な古風なものであった。

小説というジャンルのないところで近代西欧の小説という文学形態を受容したにもかかわらず、一八八〇年代から長編小説が現れるようになり、その水準も高かった。というのも、オスマン帝国の場合、エリート、エリート候補、そして文学に深い関心を示すような新中間層の人びとの語学能力はすこぶる高かった。彼らはフランス語の小説を自由に読み楽しめる力をもっていたため、フランス小説の最新の潮流と手法を我が物にしつつ執筆したことによると思われる。この点では、明治日本の小説家よりはるかに先を行っていた。

こうして近代文学が定着していくなかで、新しいジャンルとしての小説、短編が定着したが、詩も力を失わなかった。アラブ圏とイランでは、新体詩と並んで古典定型詩も力を保った。これに対し、トルコでは、アルタイ系言語であるのにアラブ・イランの古典定型詩の押韻法をも受容してしまったため、とりわけトルコ共和国になると、新体詩は隆盛をきわめたが、古典定型詩は、作者はほとんど皆無となり、愛好者もごく限られることとなった。

漢詩と和歌の伝統――漢字圏のなかの近代文学

　これと対比をなすのは、漢字圏である。漢字世界では、その中心たる中国でも長編の物語、短い物語、古典定型詩としての「漢詩」、そして元曲、京劇などの如き戯曲と、ジャンルが豊富であった。それゆえ、近代西欧文学の諸ジャンルも、それらの伝統を踏まえたうえで受容がなされていった。しかし、他方では、伝統的な古典定型詩も人気を保った。

　とりわけ、漢字圏の東端の日本の場合、漢文学の影響下に、日本語の長編小説、物語を生み出し、すでに一一世紀に『源氏物語』が著されるに至っており、そうした伝統のうえにたって、近代西欧の小説・物語のジャンルも受容していった。

　ただ、日本の場合、近代詩も受容されたものの、トルコの近代詩に比しその影響力はごく限定された。その原因は、おそらく日本では中国の古典定型詩たる漢詩は、日本独自の古典定型詩としての和歌とはわけて受容したことが考えられよう。漢詩の押韻法を、和歌では受容せず、七五調の語調の詩型を保った。そのため、近代西欧詩が受容された後も、日本語による古典定型詩の和歌、そこから派生した俳句、川柳、狂歌の作り手、愛好者が保たれたのではあるまいか。

　中国伝来の古典定型詩としての「漢詩」も、作詩にあたっては正しく韻をふむものの、読み楽しむにあたっては、読み下して、日本の古典定型詩の基本である「七五調」にしてしまっていた。漢詩の作り手は減ってしまったが、七五調の「詩吟」として愛好者を保っている。文学の受容においても、伝統のあり方が大きく関わってくるのである。

絵画、彫刻、書道

近代西欧の「芸術」の中心は、絵画と彫刻であろう。イスラム世界の場合、イスラムの戒律シャリーアによって彫刻は禁ぜられ、絵画も忌まれタブロー画は存在せず、ただ写本の挿絵として、色紙としてひっそりと存在していた。そのため、とりわけ彫刻の受容は、はなはだしく遅れた。

トルコの場合、彫刻はトルコ共和国でようやく発展しはじめ、なお十全の発展をとげているとはいいがたい。このようななかでは、彫刻、とりわけ銅像は、イスラム的伝統への政治的挑戦という性格さえおびる。トルコ共和国初代大統領のムスタファ・ケマル・パシャ、アタテュルクの銅像や肖像、「御真影」も、イランのパフレヴィー朝のシャーの肖像や「御真影」も、単なる個人崇拝ではなく、「文化革命」的文脈をもっているのである。

絵画の場合も、長い伝統をもつ漢字世界に比すると、その発展にはかなり限界があるようにみえる。

これに対し、漢字世界の場合、仏教は絵画と彫刻についても何ら問題がなく、仏教建築、仏像、仏画と、むしろ支えをなす。ただ、長らく中心をなしてきた中国の場合、とりわけ絵画では、長い歴史をもつ伝統絵画の影響が圧倒的に根強く、近代西欧絵画の受容にも、これがかなり影響しているのではあるまいか。

一方、漢字世界の文化の周辺に位置していた日本の場合、それまでの絵画と彫刻の伝統をふまえつつ、はるかに積極的に近代西欧絵画と彫刻の受容に取り組んだ。それゆえ、近代西欧の絵画彫刻の最高水準と拮抗しうるかはおくとして、日本独自の「近代」絵画、「近代」彫刻、とりわけ洋画を生み出した。伝統的な日本画もそうである。日本画は明治初年には、「文明開化」のかけ声のもと、旧弊固陋として排撃され、一時は下火になっていた。しかし、「お雇い外国人」として来日した米国人のフェノロサらによる再評価に励まされ、狩野芳崖や岡倉天心らの尽力もあって、近代日本画として発展をみたのである。ただ、浮世絵は西欧で高い評価を得、近代西欧絵画の発展にも大きな刺激を与え、日本でも鑑賞対象としては評価を得たが、制作は、衰えてしまった。

書道についてもふれておこう。書道は、漢字世界では絵画とも深い関係を有し、イスラム世界でもミニアチュールを収めるのが写本であるところから深い関連を有する。象形文字に由来する表意文字たる漢字を有する漢字世界と、絵画は忌まれるが、聖典『コーラン』の写経にも必須である書道が良しとされているイスラム世界では、書道が特段の発達をとげ、世界二大書道世界といえる域に達していた。

現代の漢字圏では、漢字の使用が保たれている中国と日本では、書道は、盛行している。しかし、ハングル化した朝鮮半島、そしてラテン文字化したヴェトナムでは事情がひじょうに異なるであろう。

イスラム圏でも、アラビア文字がなお使われているアラブ圏、イラン圏では書道は力を保っているが、ラテン文字化が強行されたトルコ圏では、書道はほとんど絶滅しかけ、近年ようやく再評価されている状態である。

日本について付言すれば、建築から、調度、絵画と書、陶磁器、工芸品から料理・菓子に至るまで、伝統文化が体系的に保持された重要な要因として、明治維新以後も茶道がプレスティッジを保ち、富裕層を中心に愛好されつづけてきたことがあげうるのではあるまいか。

イスラム独自の音の世界

今日、「文明」と「文化」の多くの分野で、グローバル・スタンダードとなった近代西欧の「文化」のなかでは、音楽もまたきわめて重要な一分野である。「クラシック」が最重要の分野となり、のちにサブ・カルチャー的な諸ジャンルとして、ジャズ、ロック、ポップス等々が登場し、さらに「民謡」とその延長というべきカントリー、ハワイアン等々も、グローバルに影響を拡げていった。

受け手となった異文化圏もまた、音楽についての独自の「伝統」を築いてきた。そのなかで、音楽に必ずしも好意的ではない伝統をつちかってきたのは、アラビア文字世界としてのイスラム世界であった。イスラムの戒律シャリーアでは、音楽は忌まれる傾向がある。実際、ソ連軍の撤退後にアフガニスタンで一時、覇権を握ったタリバーンが、外来、土着を問わず、レコード、カセット、CDの販売をいっさい禁じ、ただ聖典『コーラン』の読誦のみを許したのも、確かであった。

といって、イスラム世界も、独自の音の世界を育んできた。そもそも『コーラン』の読誦そのものがリズムをもつ。一日に五回の礼拝の時の到来を告げるアザーンもまたそうである。そして、シャリーアを実践することのみを良しとする厳格な正統派のムスリムからは忌まれるイスラムの神秘主義スーフィズムの世界では、時に音楽は重要な役割を果たした。とりわけ一一世紀末以降のイスラム世界のフロンティアであったアナトリアで生まれたメヴレヴィー教団では、旋舞教団などともいわれるように、音楽とそれにあわせた旋舞が、エクスタシーへの門口であった。一八世紀末にイスラム世界ではじめて体系的な「西洋化」改革を試みたオスマン朝第二八代セリム三世は、おそらくその一員で、伝統楽器のマルチ・プレーヤーで、作詞・作曲家にして歌の名手、「古典音楽」を代表する音楽家の一人であった。

イスラム世界の古典音楽は、アラブ・イラン音楽が先導して創り上げられたものであり、共通のシステム、共通の楽器をもつようになっていた。そして、歌曲でも、アラブ・ペルシア語の韻をふむ古典定型詩が基礎をなし、オスマン帝国でも歌詞は、アラブ・ペルシア詩的な韻をふむトルコ古典定型詩であるディーヴァン詩にのっとっていた。

しかし他方では、民謡、そして俗謡の世界がある。トルコ圏の場合、民謡の歌詞はむしろ、中央アジアのトルコ民族以来の伝統である語調の詩にのっとっていた。

メフテル軍楽隊と「トルコ行進曲」

さらに、イスラム世界の場合、一騎打ちを旨とした「中世」西欧世界と異なり、原初のアラブ・ムスリム戦士団以来、集団戦法であり、そこから軍楽隊が生まれた。とりわけ、「前近代」イスラム世界の世界帝国的存在となったオスマン帝国の常備歩兵軍団で、一六世紀には「旧世界」西半で最強の軍事力となったイェニチェリ軍団は、大規模な軍楽隊を伴うに至った。そして、彼らの奏でる軍楽がメフテルであった。メフテル軍楽隊は、フル編成では三〇〇人に達したという。一九七九、八〇年に放送されたＮＨＫのテレビドラマ

『阿修羅のごとく』の主題曲として我が日本でも広く知られた「古軍隊マーチ」は、近代に入り作詞・作曲された新作であるが、古典のメフテルの作曲法にのっとっている。そして、トルコ共和国陸軍軍楽隊のメフテル部隊の用いる楽器も、基本的には伝統にのっとっている。

このメフテルは、最大の対抗勢力だった西欧世界にも影響を与え、楽器も受容されて大太鼓ダウルは西欧ではティンパニーとなり、ジルはシンバルとなった。そして、オスマン帝国の軍楽の影響の下に、いくつもの行進曲が生まれた。その典型がモーツァルトの「トルコ行進曲」として知られる一曲である。

軍楽の西洋化

しかし、イスラム世界で、近代西欧音楽の影響がまず浸透したのは、軍楽の分野においてであった。一八二六年、オスマン帝国中央で第三〇代マフムート二世がイェニチェリ軍団を廃止して、近代西欧モデルに基づく新式軍隊を創設したとき、イェニチェリの軍楽隊も廃止された。それとともに、新式軍楽のために近代西欧モデルの軍楽隊の創設をめざして、イタリアから高名な音楽家ガエターノ・ドニゼッティの兄にあたるジュゼッペ・ドニゼッティが招聘(しょうへい)され、後にはその功が賞されて将官となり、ドニゼッティ・パシャとなったのである。

軍隊の「西洋化」が、近代西欧音楽の受容をもたらしたのは、何もアラビア文字世界としてのイスラム世界だけではない。漢字世界の東端の日本でも、幕末に徳川幕府がフランスの指導を乞うて近代西欧モデルの新式軍隊を創設したが、軍楽も、長崎に御家人を派遣して学ばせ、江戸では築地の講武所でも練習させ、私塾でも教授したという。その鼓笛を習った人物へのインタビューは、篠田鉱造（しのだこうぞう）の『幕末百話』（岩波文庫）にでてくる。そのとき、太鼓で実演してくれたそうであるが、篠田は音楽は「翻訳が出来ませんからそのまま」と結んでいる。

クラシックの受容

非西欧の異文化諸世界でも、「西洋の衝撃」の下で、まず「文明」の分野で「西洋化」としての「近代化」が推進されはじめると、「文化」の分野での「西洋化」も進行するようになる。そうして、近代西欧音楽も受容されていく。これに最も早く取り組み、最大の成果を挙げたのは東欧正教世界の雄となったロシアであろう。

ロシアは、すでに一九世紀中頃、クラシック音楽でも、クラシック・バレエでも、西欧圏のそれに匹敵する成果を挙げていった。ロシアの場合、一七世紀末からピョートル改革が始まり、ヨーロッパ列強の一つとなった。その後、二〇世紀に入ってからは共産革命までなしとげたものの、政治・社会・経済ともに「革命いまだ成らず」の観を呈しているにもかかわらず、音楽・バレエは、西欧先進諸国と並ぶに至っているのは不思議である。ちなみに、近代西欧モデルの「近代化」においては、ロシアよりはるかに先を行く日本で、近代西欧バレエを本格的に伝えたのは、ロシア革命後の亡命者、白系露人であったエリアナ・パブロワであった。

異文化諸世界で、文化の「西洋化」とともに、近代西欧音楽も受容されていくと、食の世界と同様、「近代」的で「外来」の「西洋」音楽と、「伝統」的で「土着」的な各文化世界の音楽が並立することとなった。政治・経済・科学技術では、近代西欧モデルが、「反体制」の対抗イデオロギーとしてのマルクス主義も含めて受容され近代西欧一辺倒となったのとは対照的である。しかも、そこでは、「外来」の「近代」的音楽でも、まずはクラシックが受容され、その教育機関も生まれる。それはイスラム世界のオスマン帝国でも、漢字世界の日本でも同じである。今日では東京芸術大学の音楽学部となった東京音楽学校がそれである。そして、当初は「お雇い外国人」が先生として招かれ、もっぱら近代西欧のクラシック音楽が伝授された。そのなかで、日本人の西欧音楽奏者も育ち、近代西欧クラシック音楽に範をとってオリジナルを創り出す作曲家も生まれてきた。滝廉太郎（たきれんたろう）、後には山田耕筰らである。

その後、昭和戦前期以後になると、サブ・カルチャー系のジャズ、ラテン、ハワイアン、さらに戦後にはフォークやロックも受容され、和製の演奏者、加えて作詞・作曲家も生まれてきた。このような「近代西欧」音楽の受容の過程とその所産は、他の諸社会、他の文字圏としての文化圏でも、かなり似かよっていよう。

「近代」音楽と「在来」音楽の相克と混淆

他方では、「伝統的な在来」の音楽もまた、生き延びていく。そこでは、同じ「在来」音楽のなかでも、「古典」「民謡」「俗謡」へと分かたれていく。ただその「在来」音楽の強弱は、文化世界により、さらにそのなかの諸社会により千差万別であろう。イスラム圏でも、アラブ圏やイラン圏では、文学の詩にみるように「伝統」音楽も健在のようにみえる。しかし、トルコ共和国では、伝統音楽は「文化遺産」化している。

漢字世界の日本でも、大勢はこれに近い。しかし、日本では、源流の中国ではすでに失われてしまった唐代以来の「雅楽」が残り、日本オリジナルの謡曲は少なからぬ愛好者が残り、江戸時代に確立した箏曲や長唄もそれなりの支持者を保っている。ただ、伝統的「俗謡」というべき「小唄」や「都々逸」は、演者は残るものの、これに親しむ者は激減している。本物のいわゆる「お茶屋遊び」のできる人がいなくなりつつあるのである。在来音楽のなかでは、「古典」音楽に比すれば、「民謡」の方が愛好者が残り、日本の場合、「新民謡」まで生まれている。

さらに、「近代」「西欧」音楽と在来音楽のはざまで、日本式にいえば、「歌謡曲」、さらには「演歌」にあたるものが生じてくる。これは、同じ日本語を共有しながら、大和と沖縄としてかなり異なる歴史を経てきた日本本土と沖縄でも、共通の過程がみられる。そして興味深いことに、そこでは、古典的な在来の語調の詩、大和なら七五調、沖縄なら八八八六調が主流をなしているのである。

いずれにせよ、「音楽は、国境も民族も越える」といえるようになったのは、近代西欧を原動力とするグローバリゼーションの過程のなかで、「西洋の衝撃」の下で、音の世界でも、グローバル・モデルとして近代西欧モデルが受容され、近代西欧音楽をベースとする共通の音の基盤が、文化圏を越えてできあがったことによる。そして、さらにまた、近代西欧人の側でも、グローバリゼーションの進行のなかで、異文化圏との接触が増し、西欧人の「耳」も、必ずしも西欧一辺倒ではなくなりはじめ、異文化の音も一種の「エスニック」としてとらえうるようになって「共有」しうる「音」の世界が拡大したのである。

解消される障壁

一五世紀末に始まる西欧人の「大航海」時代以来、グローバリゼーションとしては、その第二段階、すなわち地球上の全人類諸社会を唯一のグローバル・システムへと統合していく過程が進んでいった。この第二段階は、情報伝達技術と交通の急速な発展とともに加速化しつつある。交通においては、まず海上で、中国のジャンク、イスラム世界のダウ船、地中海世界共通のガレー船にかえてガレオン船が発達し、帆船が一九世紀中葉頃には蒸気船となり、航行速度は格段に速くなっていった。

一九世紀中葉にスエズ運河が開通し、太平洋、インド洋と大西洋が、地中海を経て直接に結ばれた。二〇世紀初頭には、パナマ運河によって、大西洋と太平洋が南米大陸南端を経ずに直接結ばれて、三大洋が最短距離で結ばれることとなった。これに加えて、二〇世紀中葉には、蒸気船にかえてディーゼル船が生まれ、さらに加速化された。

陸路の発展は、海上の路に比して著しく遅れ、あいかわらず馬とロバ、ラバとラクダに頼りつづけたが、一九世紀に入り鉄道が誕生する。その鉄道も、二〇世紀には蒸気機関車から電車となり、スピードも速くなる一方で、時速二五〇キロメートルをこえて、いまでは時速三五〇キロメートルに達しつつある。

交通の発展でさらに決定的となったのは、二〇世紀初頭における航空機の発展である。

この航空機も旅客機としての活用が可能となり、プロペラ機からジェット機となると、東京とパリ・ロンドンが一二、三時間で結ばれるようになった。直行便さえあれば、「五大陸」のどこへでも、一日から二日以内に到達しうるようになった。「地球の涯」と思われていたところに、陸上や海上から隣国に赴くよりも早く到達できるようになったのである。交通網は、かつてのネットワークから恒常的に働き続けるシステムとなり、唯一のグローバル・システムを支えている。

情報伝達システムについてみれば、かつては交通手段を通じての伝達しかなかった。しかし、一九世紀に電信が発明されて、伝達速度は、急速に加速された。そして、二〇世紀後半にコンピューターを媒体とするインターネット網がはりめぐらされることによって、全地球上で瞬時に情報伝達が可能となった。こうして、少なくとも、交通と情報伝達手段による、ということは「空間」的距離による文化世界間の障壁は、解消された。

近代国際体系への参入

忘れてはならないのは、そもそも大西洋とインド洋を海洋でつなぎ、あるいは太平洋を横断してアジアに至るという交通手段と情報伝達手段におけるイノヴェーションは、一五世紀末から二一世紀初頭に至るまで、ほとんどすべて西欧世界、その後の西欧圏で生み出されたということである。「文明」の他の諸分野においても、少なくとも一七世紀以降、主要なイノヴェーションは、ほとんどが西欧世界で生み出された。その結果、少なくとも一八世紀以降、文明の諸分野において、西欧世界が、他の諸文化世界に対して圧倒的な比較優位を確立していったのである。

そして、発想とイノヴェーションに支えられ、西欧世界を中心とする、一文化世界を越えた、グローバルな経済システムを創出していったのである。このグローバルな経済システムのなかで成長し、その拡大を支えたのは、資本の無限の拡大再生産のシステムとしての「近代資本制」システムであった。それを可能とする資本の集積手段が、「株式会社」制度であり、「株式会社」の運営を発展させたのが、近代経営システムだったのである。

西欧世界は、文明の諸分野における圧倒的な比較優位を背景に、自らが原動力となって創出していくグローバル・システムにおける諸政治体間の秩序の基礎としていわゆる「近代国際体系」を創出したのである。この体系は、文化世界の差異を残し、西欧世界内の秩序と、西欧世界と非西欧の異文化諸世界との関係の秩序という二元的システムとして出発し、発展していった。

しかし、異文化世界でもまた、「西洋の衝撃」に対抗して自立を保つために近代西欧モデルの受容による「西洋化」としての「近代化」が進むようになる。西欧世界との比較優位を縮めていくなかで、とりあえずは政治的自立を保ちつつ、「近代化」を達成した諸国から徐々に、当初は西欧世界の内的秩序として発展した「近代国際体系」への参入が許容されるようになっていった。

その過程で非西欧の異文化政治体の先駆けとなったのは、漢字世界の東端の日本であった。近代西欧国際体系にフル・メンバーとしての参入をめざす日本が努力したのは、「条約改正」であった。イスラム世界の中心国家であったオスマン帝国の場合は、キャピチュレーション（通商特権）の撤廃要求のかたちで進められた。そして、第一次世界大戦参戦とともに、一方的にキャピチュレーション廃止宣言がおこなわれたが、実際に「不平等条約」としてのキャピチュレーションが全面的に撤廃されたのは、オスマン帝国消滅後においてであった。また、漢字世界の中心になってきた中国の場合、分裂と「半植民地化」のゆえに、不平等条約の全面的撤廃は、第二次世界大戦後においてであった。

政治的自立を保った政治体の近代国際体系へのフル・メンバーとしての参入により二重構造は次第に解消されていったが、西欧諸国により植民地化された諸社会はその埒外に残った。植民地独立により、二重構造が少なくとも制度的に全面的に解消されたのは、第二次世界大戦後においてであった。

こうして、法的・制度的には、グローバル・システム内の諸社会の斉一化が進んだ。少なくとも文明の諸分野で、近代西欧がイノヴェーションの中心となって、生み出されてきた所産が受容され、社会間、社会層間、地域間の大きな格差は含みながらも、斉一化が進行している。

そのなかで、文化的障壁も溶解し、「近代西欧」起源の文化の受容も進んでいる。それは、世界人口の圧倒的多数が「洋服」をまとい、西欧起源の自動車、自転車を操り、かなり多くの文化圏でナイフ・フォーク食が受容され、近代西欧起源の芸術の諸ジャンルが受容されていくことにも表れている。その典型は、文化圏を越えたジーンズの受容であり、ビートルズの人気であり、マクドナルド・ハンバーガー店の開店であろうか。

他方、接触の密接化と内外での異文化体験の増加とともに、西欧圏内でも、異文化に対する意識が微妙に変化し、異文化圏の所産の受容も進行しつつある。浮世絵の再評価やカレーの受容といった外からの受容が進行し、『源氏物語』の翻訳や、中国料理、日本の寿司の受容といったかたちで異文化圏の所産が西欧圏で評価されるようになりつつある。

そして、非西欧圏の諸社会のなかでも、他の非西欧の異文化圏の所産の受容が進行しつつある。

たとえば、漢字圏の日本の場合、エスニックなものへの関心として表れている。食文化の領域をみても二〇世紀末までは、とりわけ梵字圏やアラビア文字圏の食の受容はきわめて限られていたものが、二一世紀初頭の今日では、少なくとも東京については、かつて「大英帝国」として五大陸すべてに植民地をもっていた英国の首都ロンドンにも比しうるほどに達しているのである。

日本は、これまで漢字文化圏以外では、第一次世界大戦でドイツから奪った南洋諸島にしか勢力は及ばず、多文化の植民地帝国建設も果たせず、異文化の諸社会からの移民も、二〇世紀末に至るまであまりいなかった。その日本においても文化的多様性が生まれつつあるのである。これに加えて、異文化圏出身の観光客、留学生、労働者が流入するなかで、異文化を担う人びととの直接の接触もまた増加し、人的多様性も生まれつつある。

このような異文化圏からの人びと、とりわけ一定期間滞在し、さらには永住する人びとがめだつのは、西欧圏においては、英国、フランス、オランダなどである。これらは旧植民地から旧宗主国への移住が多い。あるいは、ドイツのように労働力としての異文化圏の人びとが流入したところで、社会内の文化的多様化が著しく進んでいる。かつて広大な植民地をもったフランスの場合、元来の「フランス人」でない国民は、全人口の一〇パーセントを超えるといわれる。そして、旧植民地をほとんど獲得できなかったドイツでも、一五パーセントに近いといわれる。

グローバリゼーション下での文化摩擦の発生

そもそも、一社会内に複数の異文化集団が並存するとき、アイデンティティーと統合の基軸を異にする集団があると、とりわけある時期に、差別ないしは文化摩擦が生じうる。アイデンティティーと統合の基軸が宗教にあった「中世」西欧世界におけるユダヤ教徒、それが人種にあった米国における黒人に対する差別がその典型例であろう。「前近代」のイスラム世界においても、アイデンティティーと統合の基軸は宗教にあり、非ムスリムのうち、一神教徒である「啓典の民」については、イスラムの戒律シャリーアに基づくズィンマ（保護）、ズィンミー（被保護民）システムの下、不平等のもとではあるが、「中世」西欧世界でのユダヤ教徒に対するような隔離は存在せず、比較的ゆるやかに許容されていた。

現代に入り、公民権法の下、法的には完全に平等が成立しているはずの米国でも、白人の黒人に対する「事実上」の差別が厳然として存在し、何らかの事件を契機として、文化摩擦が表面化し、抗議デモ、さらには暴動にまで発展する。また、二〇〇一年九月一一日の米国同時多発テロ事件をきっかけに、ムスリムに対する排撃の潮流が生まれ、これに起因するテロさえ生じている。

フランスでは、旧植民地の北アフリカ西部マグリブからのムスリムの移住者は、フランス国籍をとった後にも、格差と差別の下に置かれる。それへの反発が過激な「イスラム原理主義者」によるテロの風潮と結びついて、フランス国籍のムスリムによるテロもまた発生している。こうして、世俗化が進行するなかでの「人種」「民族」を異にすることによる文化摩擦に加えて、宗教・宗派に由来する文化摩擦も起きている。移民・難民の増加によって、白人のキリスト教徒も自らが脅かされていると感じる分断が生じているのである。こうしたことは、直接接触の増加による文化摩擦である。

言語・文化的にきわめて同質性の高い日本の場合、明治維新後、旧代の身分差別は、法制上撤廃され、「四民平等」が宣言されたが、昭和戦前期まで「族籍」としての「士族」「平民」は残り、これに加えて事実上、身分差別される人びとが残った。さらに、北海道の先住民であるアイヌの人びとも差別された。そして、「琉球処分」の名の下に「併合」された旧琉球王国の沖縄の人びと、日露戦争後に併合されて植民地とされた朝鮮半島の人びとも、事実上の差別の下に置かれ、昭和戦前期の東京の下町の居酒屋では「朝鮮人、琉球人は入るべからず」との表示を掲げるものさえあったという。そして、第二次世界大戦後の日本国憲法下で、いっさいの平等が法的には確立された今日にあっても、北海道ではアイヌ系の人びとに対して、全国的には在日韓国・朝鮮系の人びとに対して、事実上の差別の存在が今も問題とされる。

これに加えて、グローバル化の進展とともに、留学や就労により、あるいは観光客として来日する人びととのあいだで、言語と生活習慣の違いにより、互いの相互理解の不十分さも手伝って、しばしば文化摩擦が生じているのである。

グローバリゼーションの第二段階の急速な進展によって、地球上の人類の唯一のグローバル・システムへの統合は急速に進んでいる。一方で文明のみならず文化の「斉一化」が進行するなかで、ヒトと情報の交流の増加とともに諸社会における文化の多様化が進行し、文化摩擦もまた生じているのである。

第七章　文明と文化の興亡——文明の生き残る道

個別文明の興亡

人類の「文明」そのものは、後退と衰亡の危険をはらみながらも、今日までのところ、何とか前進を続けてきた。しかし一方で、文化の刻印を帯びた個別文明は、興亡をくりひろげてきた。

インダス文字を生んだインダス文明は、その担い手とおぼしきドラヴィダ系言語を母語とする人びとを残しながら、原因不明のまま、消滅した。

人類最古の文字を創り出した楔形文字文明は、パフレヴィー文字文明に多くを受け継がれながら、楔形文字そのものは死文字と化した。さらにはパルティア、すなわちアルサケス朝ペルシア、そしてササン朝ペルシアを経て、パフレヴィー文字文明は「アラブの大征服」のなかでアラビア文字世界としてのイスラム世界に包摂されてしまった。

エジプトのヒエログリフ文明も、ローマ帝国の支配下でヒエログリフが死文字と化し、さらに「アラブの大征服」のなかで、ファラオの民も、ローマ帝国支配下で新たに創出したコプト教徒のコプト文字を残しながら、アラビア文字世界としてのイスラム世界に包摂されてしまった。

そして、「新大陸」の独自の象形文字をもったマヤ文明もアステカ文明も、さらに無文字ではあったがキープ（結縄）を有したインカ文明も、ラテン文字世界としての西欧キリスト教世界から来攻したコンキスタドール（征服者）たちに征服されて、言語の話者は残しながらも独自の文化の大部分は消失した。

太古以来の文字を保つ大文字文明として今日、生命を保っているのは、漢字文明のみである。大文字世界としては、この他には、梵字文明と、地中海ギリシア・ラテン文字世界の衣鉢を継ぐ、ラテン文字文明としての西欧キリスト教文明と、ギリシア・キリル文字文明としての東欧正教文明と、七世紀という新たな時期に誕生した五大文字世界としての五大文明のなかで最も新しい、アラビア文字文明としてのイスラム文明があるのみである。

そのなかで、一五世紀末以来、「大航海」時代に乗り出して、唯一のグローバル・システムとしての近代世界体系形成の原動力となり、一八世紀以降、近代世界体系の覇権を手中にしていったのは、ラテン文字文明としての西欧キリスト教文明であった。しかし、二一世紀初頭に入り、その覇権も傾きつつあるかにみえる。

代わりに長い眠りから目覚め、ラテン文字文明としての西欧キリスト教文明に対抗しうる力をつけつつあるのは、漢字文明の長らく中心をなしてきた中国と、そして梵字文明の淵源であったインドであろう。

長命した中国とエジプト・ヒエログリフ世界

人類の歴史上に現れた諸個別文明のなかで、四大文字文明の一つとして自らが創り出した文字を三五〇〇年近い歳月にわたって保ち、広大な空間を支配下に置きつづけているのは長らく漢字世界としての東アジア・儒教・仏教世界の中心であった中国のみである。中国が文化を保ちつつ存続できた要因の一つは、すでに述べたように地理的環境であろう。閉鎖的な地理的環境、すなわち閉鎖空間が、同一の個別文明の長期存続に資した。このことは、ローマ帝国支配下で固有文字であったヒエログリフを失ったとはいえ、三〇〇〇年以上にわたって存続したエジプトのヒエログリフ世界についてもいえる。

中国は、自らも誇ったように地広く物豊かであり、北の黄河、南の長江の大河を擁し、域外に物産を求めることは、さして必要ではなかった。実際、「七つの海」に雄飛し、インドまで手中にした英国でさえ、一九世紀初めに至るまで、中国に対して売るものがさしてなく、もっぱら中国の茶や絹を銀で買いつけざるをえなかった。インドを手中にしてようやくアヘンを生産し、売り物がみつかったほどであった。このような物産豊かな環境もあって、個別文明としての中国文明は、ほぼ空間固定型の文明となった。この点も、ナイルの恵みを一身に受け、後にはローマ市民の胃袋、オスマン宮廷の食卓を支えたほどに物産豊かであったエジプト文明に似る。

エジプトのヒエログリフ世界の場合、対外的進出も、限定的だった。空間拡張型の楔形文字世界は、メソポタミアからイラン高原、アナトリアへと拡がっていった。一時的にではあるが、メソポタミア拠点のアッシリア、イラン高原拠点のアケメネス朝ペルシアがヒエログリフ世界そのものまで支配下に置いた。それに対し、ヒエログリフ世界は、せいぜいシリアに進出するにとどまり、空間固定的傾向を示したのであった。

漢字世界の長らく中心であった中国が、中核地域から出て異文化の異文字世界にまで進出をみせたのは、漢帝国を除けば、騎馬民族の鮮卑の拓跋（たくばつ）氏系の隋、そして隋ときわめて密接な関係をもち、少なくとも拓跋氏系の武川鎮（ぶせんちん）軍閥出身の李氏の唐、そして半猟半農の女真人の建てた清くらいであった。もっとも中国は、清朝の拡大主義のおかげもあって、中華人民共和国は、中国史上ほぼ最大版図を誇っている。

内的凝集力と同化力の大切さ

空間固定型の個別文明としての中国は、開放空間型集団に属する遊牧民や猟狩民に比し、機動力と瞬発力では及ばぬところがあった。閉鎖的な地理的環境に守られたとはいえ、遊牧民の匈奴や突厥に脅かされつづけ、五胡十六国には中国内部に入られ、遊牧民の元や狩猟民の清には全面的に征服されはした。

しかし、それにもかかわらず、独自の文化とアイデンティティーを保った。強力な文化的凝集力を有していたおかげである。そして元を立ち上げたモンゴルは同化しえなかったものの、北魏も隋も立ち上げた拓跋氏、そして清を立ち上げた満洲人を同化し、中国史上、かつて完全に支配し同化したことのなかった「旧満洲」、今日の東北地方をほぼ完全に漢化した。満洲族自体、いまや満洲語を母語とし日常語として用いる者は極少化している。これは個別文明としての中国文明が、強力な内的凝集力をもつとともに、異質のものに対しても強力な同化力を有していることを示している。

実際、個別文明としての中国は、戦国時代には、元来は異民族と考えられていた秦と楚を漢化し、後代にはさらに南方の珠江流域の広東まで漢化していった。しかし、その拡大の過程はごく長い時間を通じて文明的・文化的比較優位を背景としつつ、きわめてゆるやかに進行した。

そして、少なくともエリート層、サブ・エリート層に、共通の文化が定着し、浸透して共通のアイデンティティーを育み、凝集力をさらに強化したのは、ほぼ万人に開かれた自発参加による競争試験でエリート候補をリクルートする科挙試験であった。幼時から共通課題に取り組み、少なくとも共通の書きことばに習熟し、礼の秩序を共有することによって、同じ文化集団の一員としてのアイデンティティーを共有するようになっていったのである。このアイデンティティーを共有するエリート、サブ・エリートは、おおむね地方の地主として、地方の地域秩序の担い手であった。もちろん、太平天国の乱の際のように「妖」として徹底的に排撃されることもあったが、これも結局は、地主層の組織した郷勇によって鎮圧されたように、民衆に対しても大きな影響力を保っていた。

四つの帝国の運命

こうして、中国は、閉鎖空間的環境の下で、三五〇〇年近い歳月を通じて文化的な凝集力と同化力を育んできた。「一乱一治」の変転のなかでも「一治」をつねに回復し、拓跋氏や元や清のような異民族の征服王朝の支配を受けながらも底力を保ってきたのである。こうして育まれた文化的な凝集力と同化力は、「西洋の衝撃」の下で、辛亥革命以後の「一乱」の時代をも耐え忍び、中華人民共和国の下で、ふたたび「一治」を回復させえたのである。

そして、未来は予知しえないが、もしもふたたび「一乱」の時代を迎えるとしても、そこで失われうるのは、異文字の異文化圏に属し、清朝の隆盛ゆえに、中国につなぎとめられた、チベット、新疆ウイグル自治区、さらには上の二地域に比し蓋然性ははるかに低いが、内モンゴルにとどまるであろう。

今日、文化的多元主義が賞揚され、多様性の重要さが強調されてはいるが、非常に濃い文化的同質性とアイデンティティーの共有は、危機にあたっても統合を保ち、統一を回復するためのコストを最小限とするのである。

そのことは、第一次世界大戦の前後に崩壊した四つの帝国の運命をみればはっきりする。宗教と王朝を二つの柱にしながら、多宗教・多宗派・多言語・多民族から成り立っていたオスマン、ハプスブルク、ロシアの三帝国のうち、オスマン帝国とハプスブルク帝国は、敗戦国となり完全に解体し、わずかにその中核部分が、各々トルコ共和国とオーストリア共和国として残るにとどまった。ロシア帝国は、ロシア十月革命によって、正教とロマノフ王朝にかえて、共産主義と共産党に看板をかけかえて干渉戦争も独ソ戦争も耐えぬいて帝国の版図を保った。しかし、ソ連邦の崩壊によって、文化的にも非常に近いベラルーシとウクライナに加えて、少なくともキリスト教国であるバルト三国、グルジアすなわち今日のジョージア、アルメニア、元来まったく異文化のアゼルバイジャンからキルギスに至るアラビア文字圏のムスリム諸社会をも失った。かろうじて小ロシアとシベリアから沿海州にかけての地と、アラビア文字圏のタタルスタンからダーゲスタン、チェチェンに至る地域を保つにとどまり、その版図はほとんど半減した。しかも、チェチェンでは猛烈な独立戦争を強引におさえつけざるをえない始末となった。

第一次世界大戦前後に崩壊した古風な四帝国のうち、旧体制下の版図をほぼ保全し「一治」を実現したのは、中国のみであった。西北方、西方に不確定要素があるとはいえ、半世紀近い争乱の時代を経ながら、他の三帝国のように崩壊解体されず、統一を再興しえたのは、その巨大なコア部分で強力な凝集性と濃密な同質性が育まれてきていたことによるであろう。

四周を海で囲まれ、漢字世界周辺の閉鎖空間的部分であった日本では、北辺の蝦夷地のアイヌと南辺の琉球王国を除き人口の九八パーセント近くが共通の古典語としての「古文」と共通の文章語としての「候文（そうろうぶん）」をもち、エリート、サブ・エリートの共通の話し言葉として「武家言葉」を有していた。共通の文化と伝統を象徴すると信じられる権威としての天皇と現実の権力としての徳川幕府の下にあった。その文化的同質性のゆえに、「西洋の衝撃」の脅威の下で、前述の三帝国などに比して統合のコストが極少であったことが、いち早く「西洋化」改革としての「近代化」を急速に進めえた大きな要因であったであろう。

また、厳しい国際環境の下で、ついに大日本帝国に「併合」され、その植民地とされてしまった朝鮮半島の場合も、著しく空間固定型で、日本を上回る文化的同質性をもつ社会であった。大日本帝国の植民地支配からの独立後、東西冷戦の下、イデオロギー的対立から南北に分裂したものの、将来における統一は、南北ともに当然の前提としているのも、閉鎖空間のなかで育まれた凝集力と同質性にのっとっているのである。

ダルマとジャーティという共通基盤――インド

かつて梵字世界の淵源となったインド亜大陸の場合、中国とは異なり、言語的にも、北部から中部までは印欧系、南部はこれとはまったく異なるドラヴィダ系の諸言語を母語とする人びとからなっていた。さらに、英領インド帝国時代、北部にアラビア文字を用いる多数のムスリムがおり、他はブラーフミー文字起源の梵字系文字を用いていた。しかも、中国の漢字が統一されていたのに対し、梵字系諸文字には、多くのヴァリエーションがあったのである。それに加えて、インド亜大陸の場合、一九世紀後半に英領インド帝国となる以前においては、ムスリム化・トルコ化したモンゴル起源のムガル帝国がその大部分を支配していた。

しかし、英国から独立するにあたっては、北部のムスリム住民が多数を占める地域が東西パキスタンとして分離独立したものの、梵字系文字を用いる人びとは、印欧系のみならずドラヴィダ系も含めて一体のインド共和国として独立した。その後も言語・民族の違いからの分離独立運動はほとんど見られなかった。その基礎には、梵字世界の中心としての長い歴史があった。

梵字で記されたサンスクリットの聖典を共有し、そしてその聖典を基礎とする良きヒンドゥー教徒の行動規範の総体としてのダルマを共有する。母語・民族を異にするも、ダルマに基づく儀礼の司祭者として共通の役割を果たし、とりわけ農村の秩序の護持者であるバラモンが遍在し、そしてまたダルマに支えられた社会秩序としてのヴァルナ・システムとそれをさらに細分するジャーティ・システムすなわちカースト制度が共有されていた。このダルマとジャーティの共有が、言語・民族・地域を越えた、インドのヒンドゥー教徒のアイデンティティーと社会のシステムの共通基盤をなしていたのである。

このようなかたちで、強力な文化的同化力が働き、文化的凝集力を実現していた。ちなみに、インド亜大陸も、相対的にいえば、西北部を除けば、閉鎖的空間をなしていることも、凝集力と同化力を育んだ大きな要因であろう。

以上見てきたように、文化の刻印を帯びた個別文明、さらにはそのなかの諸社会の存続にとって、内的な凝集力とそれを実現しうる文化的同化力の強さは、決定的な重要性を有している。漢字世界の長らく中心であった中国、そしてその周辺社会であった朝鮮半島と日本、梵字世界の淵源となったインド、そしてヒエログリフ世界としてのエジプトの場合、その空間的環境が閉鎖空間型で、そこに展開した文化の刻印を帯びた個別文明が空間固定型の文明であったことが、重要な要因となってきたといえよう。

開放空間と機動力・瞬発力

閉鎖空間の下で凝集力と同化力に富むが、機動力と瞬発力で劣る漢字世界の中国などと対照的なのは、このごろはやり始めた空間用語でいえば「中央ユーラシア」を主たる活動領域とした遊牧民たちである。彼らの活躍のおもな舞台は、ステップを中心とする開放空間であった。前にも述べたように、遊牧民は、つねに移動するといっても、通例は、家畜とともに冬を過ごす冬営地と、比較的冷涼で草と水が豊かな夏営地とを一年をかけて周遊するのである。通年で一定空間で過ごすのではなく、通年で移動をくりかえすのであるから、すまいから生活用具まですべて移動可能でなくてはならない。何よりも唯一の生産手段も、移動させうる家畜である。そして、夏営地も冬営地も、その周遊で立ち寄り一時滞在する土地も、所有物ではなく、一時使用のための縄張りにすぎない。「一所懸命」の農民とは真逆である。

遊牧民は、移動を常とするので機動力に富み、害獣や外敵に城壁や砦の庇護なしに集団として瞬時に対応せねばならないから瞬発力に富む。そして、家畜を守りながら集団で移動するから、外に対しては、集団力を発揮する。

この遊牧民も、定住民の生産する穀物を中心とする農産物などを必要とする。定住民の方も、遊牧民の生産する家畜や畜産物などに需要があり、通例は、交換交易することになる。しかしトラブルが起きれば、機動力にものをいわせて略奪ということになるし、必要が満たされないとなれば瞬発力にものをいわせて定住地に進攻する。定住民側は、遊牧民の機動力と瞬発力に対応するのは困難であるから、城壁をめぐらし砦を築くことになる。中国北辺の万里の長城はその典型である。この長城は、春秋戦国時代にはじまり、秦の始皇帝時代に大々的に建築されたが、その建築作業は、明代にまで及んだのである。

遊牧民は、通例はせいぜい部族単位で周遊を続けているが、時に部族連合ができあがると、固定した領土というわけではないが、広大な縄張りを囲い込んだ巨大な政治体を創り出し、空間拡張的傾向を示すことがある。漢を脅かした匈奴、唐を脅かした突厥などはその典型である。

そしてその部族連合が巨大化し、日常の周遊のサークルを切り放って、直線となって疾駆し、実現されたのが、一三世紀のいわゆるモンゴル帝国であった。

「モンゴルの大征服」と「モンゴル帝国」の瓦解

この帝国は世界史上、例をみない広大な空間を囲い込んだ。この「モンゴルの大征服」

は、「旧世界」の「三大陸」に拡がる五つの文字世界のすべてに及んだ。西方のギリシア・キリル文字世界としてのビザンツ世界については、ビザンツ帝国本体に直接影響は及ばなかったが、黒海北方では、ロシアの中心をなしていたキエフ公国を壊滅させ、北方のモスクワ公国をも「モンゴルのくびき」につないだ。ラテン文字世界としての西欧キリスト教世界にも侵入し、ワールシュタットの戦いで迎撃軍を大破し、北はドイツ、南はハンガリーにと進攻するところであった。アラビア文字世界としてのイスラム世界については、中央アジアからイランに拡がるホレズム・シャー朝を席捲し、かつてビザンツ世界東半をなしてきたアナトリアに立ち上げられたルーム・セルジューク朝を破って属国化した。一二五八年にはバグダードを征服してアッバース朝カリフを処刑し、シリアに入った。しかし、一二六〇年のアイン・ジャールートの戦いで成立後まもないマムルーク朝軍に敗れて辛うじてエジプト進攻が阻止されたのであった。

梵字世界の淵源たるインド亜大陸では、イラン・アフガニスタン方面から進出したムスリム勢力の奴隷王朝に妨げられて、ヒンドゥー圏には達しえなかった。しかし、東南アジアでは、大陸部ではビルマを征服し、島嶼部ではのちに撃退されたがジャワに進攻した。

漢字世界では、金を亡ぼし、高麗を属国とし、ついに一二七九年には南宋を亡ぼし、フビライが立ち上げた「大元」は、全中国をも支配下に置いた。そして、撃退されたもののヴェトナム、さらに日本にも進攻した。この七十余年にわたる「モンゴルの大征服」は、遊牧民の機動力と瞬発力を基礎とする空間拡張的傾向を如実に示すものであった。

しかし、遊牧民の立ち上げた巨大な帝国は、匈奴も、突厥も、二～三世紀しか存続しえずに分裂し滅亡した。いわゆるモンゴル帝国も、一世紀もたたずに分裂し、それから一世紀以内に、原形をまったく失った。これからみると、特筆すべき機動力と瞬発力を発揮した遊牧民も、短期的には外に対しては強い集団力を示すが、内部的な凝集力に問題があり、主導権をめぐり抗争が頻発するか、分裂が進行し、短期間で組成される巨大政治体は、また短期間で分裂崩壊する傾向を示すように思われる。

また、同化力においても、とりわけモンゴル帝国の場合、東方の漢字世界では、モンゴル語と元代に入りようやく成立したモンゴル文字も、ほとんどモンゴル人のあいだで使われたのみで、漢字世界の在来の人びとにはまったく浸透しなかった。そして、アラビア文字世界内では、チャガタイ汗国も、イル汗国も、キプチャク汗国もイスラム化し、さらにはトルコ化し、モンゴル化、モンゴル文字化は進行せず、ムスリム化、アラビア文字化が進行していったのであった。

開放空間で生まれ、圧倒的な機動力と瞬発力をもつモンゴル人も、文化的凝集力と同化力においては、欠けるところがあったのである。

「アレクサンダー東征」に欠けていた核

ルネサンス以降の西欧人は、その文化の故郷をギリシアに求める。ギリシア人は、自らをヘレネス、その住地をヘラスと呼んだが、ヘレネスは海上では地中海から黒海に向けて進出し植民都市を創り出していった。しかし、陸上では、ヘラスはさほど拡大せず、基本的には空間固定型の文明となった。そして、その「ギリシア人の地」、ヘラス内では、数多くのポリスが並立する状態が続き、ついに統一をみなかった。

この状況を打ち破ったのは、ヘレネスたるギリシア人からバルバロイ、すなわち異民族視されていたマケドニア人の王、アレクサンドロス、すなわちアレクサンダー大王であった。アレクサンダーは、マケドニアとギリシアの連合軍を率いて、アラム文字化しつつあったとはいえ楔形文字世界を出発点にヒエログリフ世界をも支配下に置いたアケメネス朝ペルシアを征服し、その版図を我がものとした。

一九世紀以来の西欧人史家は、このアレクサンダーの東征によって、ギリシア文化が東漸し、ヘレニズム文明が生まれたとした。たしかに、アレクサンダーの下、エジプトのアレクサンドリアをはじめ、各地にギリシア風都市が築かれ、ギリシア語が公用語化し、ギリシア文字でギリシア語の刻印を刻んだ貨幣がつくられた。

しかし、アレクサンダーの短い治世ののち、その版図は、武将たちの樹立した諸王国に分かれ、アナトリアとエジプトを除くアケメネス朝の旧領の大部分はセレウコス朝の支配下に置かれた。その後まもなく、イラン高原に興ったイラン系のアルサケス朝ペルシア、すなわちパルティアがイラン高原からイラクに至るアケメネス朝の旧領の中心部分を支配下に置いた。パルティアが支配した前半はギリシア語、ギリシア文字の使用も残存したが、まもなく「国風化」が進行して、パフレヴィー文字化が進行した。パルティアに続くササン朝ペルシアでは、ギリシア文字、ギリシア語は消え去り、パフレヴィー文字で記すパフレヴィー語一色となり、ギリシア文化の影響も消滅していった。

結局、アレクサンダーの東征の遺物としては、わずかに後退してシリアを保ったセレウコス朝とアナトリアの諸王国のみとなったのである。

エジプトではアレクサンダーの武将の一人、プトレマイオスがプトレマイオス朝を樹立した。その都たるアレクサンドリアでは、ギリシア語とギリシア文字、そしていわゆるヘレニズム文化が保たれたものの、エジプトをギリシア化するより、むしろ、プトレマイオス朝がエジプト化されていった。いわゆる「ヘレニズム文明」は、被征服地の土着の文明と文化に対し圧倒的な比較優位を欠き、アレクサンダー揮下出身の新支配者たちとその下の集団も、その凝集力を保つべき核を欠き、それ故、同化力もさして発揮しえなかったのではないかと思われる。やはり、アレクサンダーの東征の成功は、文明力・文化力よりは、その軍団の機動力・瞬発力によるところが大きかったのではあるまいか。

「アラブの大征服」の場合

アレクサンダーの東征ときわめて対照的だったのが、七世紀中葉から八世紀中葉にかけての「アラブの大征服」であった。フェニキア語やヘブライ語と同じくセム系のアラビア語を母語とするアラブ人は、遊牧民で、それまでも数回にわたり外に押し出すことがあったといわれるが、基本的には、アラビア半島内で遊牧的周遊をくりかえしていた。アラビア半島は、北はペルシア湾、東はアラビア海とインド洋、南は紅海に囲まれ、西方のみは陸続きだが、その北部はシリア砂漠でシリアとも隔てられた、閉鎖空間である。

しかし、そのアラブ人が、七世紀初頭にカーバ神殿を中心とする宗教都市で、商業都市でもあったメッカのムハンマドが創始した一神教のイスラムを奉ずるに至る。唯一神アッラーの最後の「御使い」「預言者」たる預言者ムハンマドの没後、その全信徒の指導者として擁立された「四大正統カリフ」第二代のウマルの下で、七世紀前半、「アラブ・ムスリム戦士団」を結成して東西に押し出し「アラブの大征服」が始まった。

東方では、パフレヴィー文字世界を創り出していたササン朝ペルシアを滅ぼした。さらに中央アジアを東進して七五一年に、今日のキルギス共和国西北部のタラス河畔の戦いで「安史の乱」を四年後に控えた唐軍を破ったが、タリム盆地には入らなかった。

西方では、ビザンツ帝国領に攻め入り、シリア、エジプトから北アフリカの地中海岸をモロッコに至るまで征服した。七一一年にはイベリアに上陸して、西ゴート王国を滅ぼし、キリスト教徒勢力を北辺に追い上げた。七三二年にはフランスの平原に進攻したが、トゥール・ポアティエの戦いでメロヴィング朝フランク王国軍に敗れ、ピレネーをはさんで対峙することとなった。そして、当時のビザンツ帝国東北部であったアナトリアに進攻し帝都コンスタンティノポリスも包囲したが、陥落させることはできなかった。ビザンツ帝国は、シリア、エジプトからモロッコに至る南半を失ったが、帝都コンスタンティノポリスを中心に、西のバルカンに加えて、東のアナトリアをも保った。

三大一神教で最新のイスラムを奉ずる「アラブ・ムスリム戦士団」による「アラブの大征服」は、七世紀中葉から八世紀中葉までの約一世紀間に進行した。

「アラブの大征服」は、「モンゴルの大征服」に比し約一・五倍の期間を費やし、その征服地の範囲は、「モンゴルの大征服」に比し、東方ではモンゴルが完全に征服した中国と、属国化した朝鮮半島、西方では同じく属国化したアナトリア、そして、ロシア平原を欠いていた。しかし、「アレクサンダーの東征」による征服地でいえば、アナトリアを欠くのみで、そのすべてに及んでいた。しかも、「アラブの大征服」の結果は、「アレクサンダーの東征」とも「モンゴルの大征服」ともまったく様相を異にしていた。

「アレクサンダーの東征」も、「モンゴルの大征服」の結果生じた、いわゆる「モンゴル帝国」も、成立後一世紀半もたたぬうちに分裂して消滅し、征服地にギリシア語とギリシア文字も、モンゴル語とモンゴル文字も定着することはなかった。

しかし、「アラブの大征服」による征服地は、後年、イベリアが「レコンキスタ（再征服）」によりラテン文字世界としての西欧キリスト教世界に奪回されたのを除き、ムスリム、すなわちイスラム教徒によって保たれた。征服した地には、支配的宗教としてイスラムが根づき、共通の文化・文明語としてアラビア語が浸透し、アラビア文字とアラビア語語彙が受容されていった。

多言語・多民族世界としてのイスラム世界

こうして成立したアラビア文字世界としてのイスラム世界は、砂漠気候、ステップ気候の乾燥地域から、地中海性気候地域、さらには熱帯雨林地域に至る多様きわまる地理的環境・生態的環境を囲い込み、「旧世界」の他の四つすべての文字世界としての文化世界に接する開放空間を形成した。しかも、その後も、西方では北はロシア平原南部、西方の南ではアナトリアからバルカンのギリシア・キリル文字世界の東方ではインド亜大陸、東南アジアの沿海部から島嶼部にかけての梵字世界で、南方ではアフリカ大陸の東西沿海岸にも進出する空間拡張型の個別文明として、一七世紀に至るまで活力を発揮したのである。

少なくともムスリム、すなわちイスラム教徒のあいだでは、イスラムの信仰とそれを支える神の戒律であるシャリーアの共有と、シャリーアの専門家であるウラマーすなわち「学者」の存在を通じて、強力な文化的凝集力を今日に至るまで保っている。そして、これも少なくともムスリムのあいだでは、多言語・多民族の世界であるにもかかわらず、イスラムの凝集力が多言語・多民族のムスリムをかなりの程度につなぎとめていた。

ただ母語については、シリアとイラクを北辺とし、南半では、アフリカ北部のサハラ以北の地域ではアラビア語化が圧倒的に進みアラビア語圏となった。しかし、北半では、その南半中央部のイランではペルシア語、北半の南半西部ではトルコ語、北半の南半東部ではインド亜大陸北部の印欧系諸言語、そして、北半の北半をなす中央アジアでは、トルコ系諸言語と部分的にイラン系の言語が残った。これに加えて、イスラム優位下における不平等の下の共存というよりはむしろ許容により、「一神教徒」、ないし「一神教徒」扱いされた諸宗教を奉ずる人びとがその母語とともに残った。

この点、漢字世界では、言語的にも同化力が強力に作用した。周辺諸社会は文化・文明語として漢文、漢字、漢語語彙を共有したが母語を保った。だが、漢字世界の中核をなす中国では、口語的には大きく異なる方言を有してはいるが、中国語が母語として圧倒的な優位を占めた。

アラビア文字世界としてのイスラム世界は、漢字文化圏とは異なり、さまざまの異教徒をも包摂する多言語・多文字・多民族世界となった。

そのためムスリムと非ムスリムは共存しながらも緊張をはらんでいた。一八世紀後半以降、近代西欧で国民主義と民族主義の二つの顔をもつナショナリズムが発展しはじめた。その影響は、イスラム世界にも及んだ。北半の西半の多言語・多民族地域、とりわけバルカンの非ムスリムで独自の母語をもつ正教徒のギリシア人をはじめとする人びとによるオスマン帝国からの分離独立運動が起きた。そうしたかたちで、アラビア文字世界としてのイスラム世界の世界帝国の分裂が進むようになる。

一九世紀末以降になると、ムスリムのあいだにも、民族主義としてのナショナリズムが浸透しはじめ、同信者間での「民族的対立」も表面化しはじめた。

開放空間型環境の下で、空間拡張型の個別文明として発展拡大してきたアラビア文字世界としてのイスラム世界の内的凝集力と同化力は、閉鎖空間内で空間固定型の個別文明を育んできた、漢字世界の長らく中心を占めた中国や、梵字世界の淵源であったインドにくらべると、新環境における凝集力に、やや劣るところがあったといえよう。その結果は、現代のアラビア文字圏としてのイスラム圏の諸社会における混乱にも表れているのではなかろうか。

「インペリウム・ロマヌム」

現代の唯一のグローバル・システムとしての近代世界体系形成の原動力となったラテン文字世界としての西欧キリスト教世界。第二次世界大戦後、半世紀近くにわたる「東西冷戦」の「東陣営」の中核としてのロシア・東欧の淵源となったギリシア・キリル文字世界としての東欧正教世界。これらはともにキリスト教世界であり、その淵源は、地中海ギリシア・ラテン文字世界に求められる。

地中海ギリシア・ラテン文字世界の淵源ギリシアは、ヘレネスすなわちギリシア人からなる世界で、ヘレネスの地、ヘラスは、海上では黒海から地中海にかけて植民活動を展開して拡がったが、陸上ではむしろ空間固定的傾向を強く有していた。しかも、閉鎖的空間としてのヘラス内では、ポリスの並存が続き、ついに統一をみることはなかった。

これに対し、地中海ギリシア・ラテン文字世界の歴史の後半を担ったローマ人は、ギリシア人とは対照的であった。ローマ人は、まずはイタリア半島、さらにはポエニ戦争で、地中海南半のカルタゴ及びその属領化していたイベリアを征服した。その後、北はガリア、ゲルマニア南部、ブリタニアに進出し、東方ではギリシア、アナトリア、シリア、エジプトと征服戦争をつづけ、ついには、地中海周辺すべてを支配下において、地中海を「我らの海」とした。そして、ローマ人の命令のおこなわれるところ、「インペリウム・ロマヌム」が成立した。

ローマの文化的同化力

現代のラテン文字圏としての西欧キリスト教圏と、ギリシア・キリル文字圏としての東欧正教圏の淵源は、ローマ帝国にある。ローマ帝国については、しばしば「組織のローマ帝国」と呼ばれ、かっちりとまとまった政治体との印象が強い。

たしかに、初期のローマは、ラテン語を母語とする同質性の強い集団が、強力な軍事組織を創り出して、周辺の異集団を包摂していった。その際、その征服範囲がイタリア半島内にとどまっていた限りでは、かなり強力な同化力を発揮していたようである。先住民文化を築き上げていたエトルリア人の母語であったエトルリア語も、南部のギリシア人の諸植民都市からなるマグナ・グレキアの人びとの母語であったギリシア語も消えうせ、今日ではイタリア語一辺倒となっている。ただ、ローマ人の同化力は、エトルリア語が今日では解読不可能となっていることからしても、先住民文化を徹底的に破壊しながら浸透していく破壊的同化によっていたのではないかと疑われる。

その後、ポエニ戦争に勝利してカルタゴを征服したときにも、都市カルタゴを徹底的に破壊しつくしたことも、その延長線上にあろう。ただ、カルタゴの場合は、西暦四世紀になっても、『神国論』の著者アウグスティヌスの姉妹がラテン語を解さず「アフリカのことば」しか理解しなかったといわれるから、カルタゴ時代以来のフェニキア語が生き残ったかと思われ、ローマ世界は、文化的多元世界化していたのである。

そして、ポエニ戦争の結果、イベリアがローマ領となり、さらに征服活動がイタリア半島を出て、ガリアすなわち今日のフランスに至ると、元来はケルト系言語を母語としていた人びとが次第に俗ラテン語を母語としはじめた。この地域が、今日もロマンス語系の言語を母語とするに至っているところをみると、ローマの文化的同化力が発揮されたのであろう。ただ、紀元前九一年には、イタリアの諸都市国家キヴィタスが同盟して反旗をひるがえしたように、ローマとしての内的凝集力の核に欠けるところがあったのも明らかであろう。

法的概念としてのローマ市民

ローマは、その後も拡張を続け、文化的多元社会化していった。ギリシアとバルカン半島からアナトリアへと拡がったが、そこでは多くの人びとの母語としてはギリシア語が保たれた。ラテン語は公用語及び一部の共通の文化語・文明語たるにとどまった。さらに、シリア—パレスティナに拡がると、現地の人びとの母語としては、アラム語とシリア語が残った。このことは、パレスティナで生まれ育ったキリスト教の開祖イエスの母語がアラム語であったと推定されることからもわかる。同じく北シリア、北イラクに残る、西欧では「アッシリア人」と呼ばれる、ネストリウス派のキリスト教徒が、今なおシリア文字を保ち、シリア語を母語としていることからも知れる。

ローマ帝国はプトレマイオス朝を倒し、エジプトを得たが、ラテン語はやはり公用語と一部の文化・文明語にとどまった。文化・文明語としてギリシア語の影響が残ったことは、ファラオ以来のかつてハム語と呼ばれていた言語の系列を継ぐコプト語を記す文字がラテン文字ではなくギリシア文字をベースに形成されたことにも表れていよう。

こうして、著しく文化的多元社会化し、言語的にも文字的にも、多言語・多文字化した「ローマ帝国」では、アイデンティティーと統合の基軸をなおも法的概念である「ローマ市民」たることに置こうとし、紀元二一二年にはカラカラ帝が、全帝国の自由民男子に「ローマ市民権」を認めるに至った。

ローマ帝国の、地中海ギリシア・ローマ世界における文化的同化力は、現代でも、イタリアを中心にフランスとイベリア半島とルーマニアが俗ラテン語の系譜を引くロマンス語系の諸言語を母語とする人びとからなっていることからして、かなりの力を有していたことであろう。そして、ローマ的都市遺構とローマ的建築遺構はさらに広く分布しているのである。

しかし、四世紀末にローマ帝国が東西に分割された後、東半をなした東ローマ帝国が、西ローマ帝国滅亡とともに版図の西半を失った唯一のローマ帝国としての、いわゆるビザンツ帝国となった後は、次第にラテン語を基本的な文化・文明語とするラテン文字世界から、ギリシア語を基本的な文化・文明語とするギリシア・キリル文字世界となっていったところからしても、文化的同化力にはかなりの限界があったのではあるまいか。全ローマ帝国内の自由民男子がローマ市民とされたものの、帝国の構成員はどの程度文化的にローマ化されたのであろうか。そして、ローマ市民意識を基軸とする「ローマ人」としてのアイデンティティーは、どれほどの文化的凝集力を発揮しえたのであろうか。とにかく東西ローマ帝国が分裂した後に、漢字世界の中国が「一乱一治」をくりかえしながらも「一治」に復帰したのとは異なり、ついに「一治」を復元することを得なかったのも事実である。

拡張する西欧世界

西ローマ帝国滅亡後、西ローマ帝国の公文書がラテン語であったことと、西ローマ帝国の文明的・文化的遺産の媒介者となったローマ・カトリック教会が、『聖書』のラテン語訳を唯一の聖典とし、宗教行事もラテン語でおこなったことから、ラテン文字世界としての西欧キリスト教世界が成立した。東西のキリスト教世界は、多言語・多民族世界であったが、宗教的には、キリスト教徒のみの世界であり、異教徒は、都市部に差別され隔離されつつ、わずかに許容されたごく少数のユダヤ教徒がいるのみであった。

そして、ラテン文字世界としての西欧世界は、ユーラシア大陸極西の閉鎖空間にとじこめられた世界であったが、一一世紀頃から活力を得て、空間拡張性を発揮しはじめる。

北方では「北の十字軍」、東南方では「十字軍」、西南方ではイベリアの「レコンキスタ(再征服)」が進展する。「十字軍」は失敗したがイスラム世界と直接の交易が始まった。「北の十字軍」では、ポーランド、リトアニアがカトリック圏に引き入れられた。そして、「レコンキスタ」が完成に向かいながら、一五世紀後半には「大航海」時代が始まる。

ポルトガルはアフリカ南端をまわりインド洋をへて、東アフリカ沿海岸から南インド、東南アジアの沿海岸に拠点を築き、さらに中国、日本に至った。しかし、ポルトガルの場合、拠点を築いたのみで、とりわけインド、東南アジアでは母語のポルトガル語化もさして進まず、アラビア文字世界の要衝だったマラッカでも、ラテン文字化、ポルトガル語化、カトリック化は限定的となった。ただ、後に植民地化した無文字だったブラジルでは、ポルトガル語化とカトリック化が進んだ。

これに対し、スペインは、大西洋を横断して「新大陸」に到達し、さらに一方ではメキシコを横断し、他方では南米大陸南端を回って太平洋に入り、中南米の大部分とフィリピンを植民地化した。そして、固有の文化が発達していたものの文明水準が新石器時代後期にとどまっていた中南米では、カトリック化が強行され、スペイン語化とラテン文字化が進んだ。またフィリピンでもイスラムがかなり浸透していた南部のミンダナオ島を除き、カトリック化とスペイン語化が進んだ。

一七世紀以降、オランダ、英国が植民地化した東南アジア島嶼部では、次第にラテン文字化したもののイスラムは生き残り、英国の植民地となったインドでは、ヒンドゥー地域の梵字系の固有文字とムスリム地域ではアラビア文字も継承され、母語も宗教も保持された。

西欧人到来以前の伝統文化が根本的に破壊されたのは、伝統的文化を支える文明の水準で圧倒的劣位にあった南北アメリカ大陸を中心とする地域にとどまった。西欧人の文化の同化力には、かなり限界があったのである。

拡大する東欧正教世界

西欧世界が「大航海」時代に乗り出してから約一世紀後、ギリシア・キリル文字世界としての東欧正教世界の中心化したモスクワ大公国は、イヴァン雷帝の下で、一方ではヴォルガ河沿いにアラビア文字世界に属するカザン汗国、アストラハン汗国を征服し、他方では東方にシベリア征服がはじまった。一九世紀後半には、これもアラビア文字世界に属する中央アジアに進出した。しかし、ロシア帝国の時代は、イスラムもアラビア文字も許容され、ソ連邦下で、文字だけはキリル文字化されたが、ソ連邦崩壊後、キリル文字は廃されつつある。ただ今のところこれにかわる文字として受容されたのは、ラテン文字である。

ロシア帝国・ソ連の場合、東方での正教化、そして母語のロシア語化は、土着民のあいだでは限定されており、植民地に入植したロシア人が主たる担い手となった。そして、ソ連邦崩壊後、ロシア連邦に残った空間でも、チェチェン紛争やダゲスタンでのテロ事件にみられるように、文字はキリル文字化されたものの、イスラムはなお根強い力をもっている。このことは、かつてのカザン汗国であったタタルスタン共和国などについてもいえる。

そして、シベリアから沿海岸に拡がる地域でも、先住民とロシア人入植者の人口比の問題があるが、将来的には、不安な要素を抱えている地域も少なくないのではあるまいか。

宗教から民族へ

さて、ラテン文字世界としての西欧世界は、多言語・多民族世界であったが、カトリック信仰を共有することで、文化的一体性を保っていた。そして、一五世紀に先駆が現れ一六世紀に本格化した「宗教改革」によって、プロテスタントが現れ、一六世紀を通じて新旧両教が激しく対立し、一六一八年から四八年までの「三〇年戦争」に至った。とはいえ、ウェストファリア条約で一応のすみ分けが認められ、世俗化の流れのなかで、二〇世紀に入ってからのアイルランド紛争、二〇世紀後半のベルギーでの紛争などは生じながらも、宗派の共存がほぼ実現している。

しかし、一八世紀から民族主義としてのナショナリズムが生まれ影響を拡げるなかで、多言語・多民族世界であったラテン文字世界としての西欧世界の内部に亀裂が拡がった。これに加えて、国民主義としてのナショナリズムに基づくネイション・ステイト（国民国家）形成が求められるようになり、その基礎をなす国民としてのネイションの基軸に民族が求められるようになると、亀裂は決定的な意味をもつに至った。アイデンティティーと統合の基軸が宗教から民族に移るなかで、宗教的な同化力と凝集力は強かったものの言語的同化は進んでいなかった西欧圏で、言語に基づく民族が対立の基軸として現れたのである。この点、言語的にほとんど一元化された中国や、多言語ながら宗教としてのヒンドゥー教とそのダルマが今なお凝集力の中心をなしているインドとは事情が異なる。

また、一つの文化世界の中核がそのまま一つの「国民国家」のかたちをとっている中国やインドと異なり、民族国家としての国民国家が並立している西欧圏では二次にわたる世界大戦を経験することとなった。その惨状をうけて、EUが成立し、国家主権と国境の籬をさげる試みがなされているが、それを支えるアイデンティティーと統合の基軸はまだま だ未成熟であり、その成否はなお予測が難しい状況にある。

個別文明の繁栄と多様性——アメリカの場合

近年、ある社会の繁栄と発展のために、ダイヴァーシティ、すなわち多様性が大切だと強調されるようになった。

たしかに、非常に異なるバック・グラウンドをもった人びとが、非常に異なる発想と考えをもちよれば、その社会が、新しい活力を得ることはありえよう。そして、異なった特徴をもつ人びとが、互いにちがいを許容し尊重していくようになれば、多様な人びとからなる社会の統合が可能となり、社会の凝集力も高まりえよう。

現代世界において、最も多様な人びとを包摂しているのは、「東西冷戦」終結後、少なくとも一時は、唯一の覇権国家、唯一の超大国の位置を占めた米国、すなわちアメリカ合衆国であろう。この国の標語は、かつては「多様性の中の統一」であった。そして、その社会は「人種のるつぼ」と称された。さまざまな人種に属する人びとが、アメリカというるつぼのなかで溶け合って一つになっていくとの期待がこめられていたのである。

実際、第二次世界大戦中に、世界ではじめて米国が原子爆弾を創り出したとき、中心となって尽力したのは、元来はハンガリー出身のユダヤ人でゲーム理論の創始者でもあるフォン・ノイマンや、イタリア語を母語とするイタリア国民だったエンリコ・フェルミらだった。米中国交回復交渉で大きな役割を果たした米国国務長官ヘンリー・キッシンジャーも、もとドイツ語を母語としドイツ国民だったユダヤ系の人物だった。

大統領にしても、「ニュー・フロンティア」で新しい目標を掲げたジョン・F・ケネディーはアイルランドからのカトリックの移民の子孫だった。バラク・オバマ前大統領は、ケニア出身でハーバード大学に留学した父と、カトリックのアイルランド系の母とのあいだに生まれた子どもだった。そして、アメリカ中心主義、排外主義で鳴らしているトランプ大統領も、ドイツ系移民の子孫なのである。ビジネスの世界でも、ＩＴ産業の中枢部には、インド出身の人びとが多くみられるのもよく知られていよう。

「人種のサラダ・ボウル」

たしかに、米国はさまざまの人種、さまざまの民族、さまざまの国の出身者が活躍する多様性の社会となっているようにみえる。

とはいえ、アメリカが最初から、多様性の社会であったかというとそうではない。先住民だけが住んでいたところに、西欧世界から白人たちが入り込んできたのは、一六世紀中葉以降のことにすぎない。そして、今日のアメリカ社会の骨格をつくり出したのは、今日WASPと呼ばれる、白人でアングロサクソンでプロテスタントの人々である。このWASP以外には、WASPより早くからアメリカ東部に入植していた、プロテスタント系のオランダ人と、南部のミシシッピー河沿いに入植していたカトリックのフランス人くらいだった。WASPの社会とはいうが、同じく白人でプロテスタントで移民としては先輩のオランダ人は尊重されたようで、第一次世界大戦のときに大統領だったセオドア・ローズヴェルトや、その一族で第二次世界大戦のときの大統領フランクリン・ローズヴェルトは、オランダ系の名門出身者なのである。

こういう例外はあるが、原初のアメリカ社会は、ほとんどもっぱらWASPからなる同質性の強い社会だった。ここに黒人奴隷がアフリカから連れてこられたが、人間扱いされなかった。白人社会の外側には、先住民であるネイティヴ・アメリカンの人びとがいたが、同様に白人と同等の扱いはなされなかった。

ただ一九世紀に入ると、まずはアイルランドの大飢饉があり、白人ではあるものの、元来はケルト系のことばを母語とするカトリックのアイルランド人たちが移民として入ってきた。一九世紀も後半以降になると、一方では東欧圏からも、白人ではあるがスラヴ系で正教徒のロシア人、西欧圏の北方からはスラヴ系でカトリックのポーランド人などが流入してきた。他方では西欧圏の南部から、カトリックのイタリア人が移住してきた。イタリア人移民については、映画『ゴッドファーザー』でよく知られるところとなった。こうして、あとから入ってきたＷＡＳＰ以外の白人は、差別の対象となった。そして、とりわけユダヤ人は、厳しい差別をうけた。

さらには、白人ではない「黄色人種」の中国人、そして日本人が労働者としてアメリカに入ってくると、厳しい差別をうけた。昭和戦前期に財政家として名高く首相にもなり、大蔵大臣のときに二・二六事件で暗殺された高橋是清(たかはしこれきよ)は、若い頃、渡米して奴隷扱いされ、ひどいめにあったという。

そして、ネイティヴ・アメリカンは、居留地に押し込められ、差別されつづけた。多くが奴隷とされていた黒人の場合は、南北戦争の結果、一八六五年に憲法が修正され奴隷制度が廃止されたが、とりわけ南部諸州では、州の憲法にも差別が残り、一九六四年の公民権法でようやく法制上の差別は全面的に撤廃された。しかし、社会的差別は今日に至るまで残っているのである。

一八九八年に米西戦争で米国領となったプエルト・リコ出身者も、ミュージカル『ウエスト・サイド・ストーリー』にみるように差別の対象であり、その後ラテン・アメリカから大量に移住しつつある、スペイン系がベースのカトリックのヒスパニックもまた、少なくとも社会的には、差別されている。

そのようななかで、社会的差別は残りながらも、法的差別は解消されていることもあり、野心をもって高等教育をうけた人びとのなかには、人種・民族、宗教・出身国を問わず、その能力を発揮しうる場を得ることのできる人びとも出てきている。そのことが、米国に多様性の社会の外見を与えているのである。

そうした人びとは、アメリカ合衆国に忠誠心をもち、アメリカ英語を使いこなし、アメリカン・ウェイ・オブ・ライフすなわちアメリカ的生活様式を身につければ、アメリカ合衆国国民として機会の平等を保障されることになってはいる。とはいえ、かつての「人種のるつぼ」とはいかないことは明白となっており、今日では米国の社会は「人種のサラダ・ボウル」といわれるようになっている。いかに、アメリカ英語とアメリカ的生活様式を共有しようと、異なる文化的特色をもつ人間集団は、その特性を保っているというのである。それが全体として一定の調和を保っている。ということは、アメリカ的文化の同化力には、限界があることを示していよう。

そして、何かがあると、その限界が表面化する。警察による黒人への暴行事件などが起こると、大規模な抗議運動や暴動が起こる。九・一一事件のようなイスラム原理主義者による事件が起こるとムスリムすなわちイスラム教徒排撃運動が起こる。そして、ヒスパニック系の移民が急増してくると、移民排撃運動が起こる。そのようななかで、今後、半世紀を経ずして、ヒスパニックの急増を主原因に白人が合衆国国民の半数を割りこみ、「有色人種」とみられる人びとが半数をこえるようになるだろうといわれている。

もし、そのような事態が実現したとき、アメリカ社会の内的凝集力と統合が保たれうるであろうか。多様性の社会というものは、たしかに文化的に異なるバック・グラウンドをもつ人びとが、各々の特色を生かして、イノヴェーションを生み出しうるかもしれない。しかし、そのような社会が内的凝集力を保つことはなかなかに困難であり、統合の維持に要するコストは、少なからぬものがあるのである。

異文化共存の困難さ

同じことはヨーロッパについてもあてはまる。かつてはキリスト教、それもカトリックと元カトリックのプロテスタントからなるキリスト教一色であった西欧世界に、移民として、難民として、非キリスト教徒、とりわけムスリムが大量に流入しつつある。フランスの場合など、人口減少がとまりつつあるとされ、それは何よりも子育て政策の成功によるとされている。しかし、エスニシティ別の人口構成をみると全人口の一〇パーセントをこえる新移住者があるとされ、おそらくそのかなり多くは旧植民地からのムスリムではないかと見られる。人口減少が止まりつつある真の原因は、じつは、ムスリムを中心とする新移民に支えられているのではないかと思われるのである。この点は、人口統計をエスニシティ別の人口動態と新生児数と出生率にまで遡って推計することが必要になろうが、もしそうだとすれば、それは人口減少の歯止めにはなるかもしれないが、移民・難民をめぐる紛争を拡大させる可能性を秘めている。

ラテン文字世界としての西欧キリスト教世界は、たしかに多言語・多民族世界であったが、キリスト教徒一色の世界であった。そしてその限りでは、異言語・異民族の人びととの共存の基いがあったかもしれない。しかし、異宗教に属し異言語を母語とするまったくの異文化の人びととの共存の経験は、ユダヤ教徒のケースを除き、欠いている。そして、ユダヤ教徒に対する強烈な差別と隔離とその解消への苦悩の歴史を考えれば、異宗教のまったく異文化の新流入者との葛藤を解決するには多くの困難と長い時間を要するのではないかと思われるのである。

これまで述べてきたように、米国、ＥＵは統合のコストを抱えている。こうしたなかで、歴史的にごく例外的な時期を除いて、閉鎖空間内にあって空間固定型の傾向を強くもっていた中国が、「一帯一路」と称して、陸海ともに空間拡張的行動を取りはじめている。その行動は、きわめて高い経済成長に支えられた経済力を支えとしている。しかも、中国の場合、少なくともその中核的部分では強力な文化的凝集力と同化力が働いている。こうしたなかで、未来の世界秩序、個別文明間の比較優位の変遷はいかなるかたちをとるのであろうか。

文明発展のためのイノヴェーション能力

「行け行けドンドン」の方向にせよ、その不都合な部分の是正としてのフィードバックの方向にせよ、文明が発展し存続するためには、新しい発明、「革新」が必要である。このような能力を、イノヴェーション能力と呼ぶこととしよう。

相対的自己完結性を帯びた文化世界が並立していた時代において、各々の文化世界の中心を占めたのは、重要なイノヴェーションを連発する地域ないし人間集団であった。イノヴェーションの中心が生ずれば、その周辺が生まれる。中国で漢字が生まれると、その周辺の諸無文字社会が漢字を受容していくなかで、漢字世界が形成されていったのは、その好適例であろう。

文明の重要諸分野において圧倒的比較優位を長期にわたって持続的に保ちつづける文化集団が現れると、その集団の文化もまた、文化的比較優位をもつものと認められ、周辺諸社会は、文明的のみならず、文化的比較優位をも認めて、「中心」の文化の受容をはかる。漢字世界において、漢字や紙のような文明の要素のみならず、書風や詩文のスタイルを受容し、さらに、前あわせで帯を締める衣装を受容し、食の作法においてさえ、従来の指食に対し、箸を受容するに至ったのは、その例である。

さらにまた、一八世紀から一九世紀にかけて、ラテン文字世界としての西欧キリスト教世界が、文明の諸分野において圧倒的な比較優位を確立すると、文明の分野における武器や戦術や築城術のみならず、衣装でも一八二六年以降のオスマン帝国や、「明治改革」後における日本のように洋装を採り入れるようになる。役所も洋風建築となり、床に座るシステムからテーブルに椅子式となり、文官も洋装するようになった。

この傾向は食など他の分野にも当てはまる。伝統食に加えて洋風食も徐々に受容された。文学においても、「明治改革」期の日本では、伝統的な漢詩和歌に加えて、「新体詩」なるものが生まれた。近代西欧が少なくとも二〇世紀中葉まで維持した文明の重要諸分野における比較優位に対抗し、明治以来の日本のように「追いつけ、追い越せ」の標語の下に「近代」西欧の比較優位の要素を身につけるために進行してきた「近代化」の過程のなかで、西欧の「文化」の受容としての「西洋化」も、多かれ少なかれ進行したのであった。そこで、西欧近代の小説にならって諸文化圏でも、日本の森鷗外、夏目漱石、中国の魯迅、トルコのハリト・ズィヤ・ウシャクルギルの如き「近代小説」の先駆者が現れたのである。

諸文化世界並立の時代には、多文化世界の文明上のイノヴェーションの中心は、文化世界ごとのワールド・モデル、ワールド・スタンダードを提供した。ラテン文字世界としての西欧キリスト教世界でまずは成立した、文明上のガレオン船、蒸気船や近世城郭も、文明と文化にまたがる「近代国際法」とそれを与える政治体のモデルとしての「領域的主権国家」モデルもとりあえずは西欧世界のワールド・スタンダードとなった。唯一のグローバル・システムとしての近代世界体系が全地球を包摂していくにつれて、「近代国際法」も、その政治的基本単位としての領域的主権国家モデルも、西欧世界のワールド・スタンダードから、唯一のグローバル・システムのグローバル・スタンダードと化したのである。そして、二〇世紀後半からは、西欧圏のなかでも米国のモデルとスタンダードがほとんどグローバルなモデルとスタンダードであるかのようになっていった。

そこで、漢字世界では中国の、そして近代世界では西欧の一貫して「追っかけ」であった日本は、アメリカン・モデルが絶対的なグローバル・スタンダードだと思い込み、その少し前までは有効だった日本モデルを捨てて「何が何でもアメリカン・システム」というなかで「日本的経営」を捨てて米国モデルにならい、雇用システムを壊してしまった。今日の低迷に至っているのも、「最先端」を自任している「自称」先進的経営者が、自らが世界大の大局観を欠いているのを自覚していないからではなかろうか。

内発的・創造的イノヴェーションへ

イノヴェーションには、自らの世界のなかでの発展から生まれる「内発的イノヴェーション」と、外からの影響による「外発的イノヴェーション」の二種類があると思われる。日本の場合、当初、少なくとも二〇〇〇年近くは漢字世界の中心である中国の、そしてこの一世紀半ほどは、西欧圏のイノヴェーションの「追っかけ」であった。ほとんど常に、基本的には近代西欧モデルの受容による外発的イノヴェーションに頼ってきた。

ただ、内発・外発を問わず、そこから生ずるイノヴェーションには、根本的に新しいモデルを示す「創造」型イノヴェーションと、既存のモデルによりつつ、その弱点・欠点を補い、より高い効率を生み出す「改善」型イノヴェーションがある。日本の場合、たとえば紙の製法を自らの内発的イノヴェーションとして生み出したわけではないが、その製法にさまざまの「改善」を加えて、日本独自の「紙」文化を発達させた。

また近代でも、ガソリン自動車そのものの発明は西欧圏でなされた。しかし、近代西欧モデルの自動車の製法を受容すると、つぎつぎと改善を加え、自動車産業をナショナル・インダストリーとしていた米国においてさえ、トヨタの日本車が自動車市場を席捲することとなった。日本の場合、外発的イノヴェーションを出発点とするが、その「改善」型イノヴェーションにおいては、特段の能力を発揮してきた。

そして、もはや自らの内発的かつ創造的なイノヴェーションの先端に立ってしかるべき立場に立った今日、今までほとんど経験したことのない状況のなかで、とまどっているかにみえるのである。

これは、原初から二〇〇〇年近く、漢字世界のイノヴェーションの中心と長らく認めてきた中国の影響と刺激の下に外発的イノヴェーションに慣れてきたことと、モデルとなった中国が世界史的にみても長らく全地球上で最も先進的地位を占めてきたこと、そして、近代西欧モデルの受容をはじめて一世紀半近くが過ぎつつあるが、当初は文明上の技術格差が圧倒的であり、追いつくのに一世紀半を要し、並びえたのはようやく二〇世紀末のことであったことによるところが大なのであろう。我が日本の未来は、内発的かつ創造的なイノヴェーション能力を身につけ発揮していけるかにかかっているのである。

いずれにせよ、イノヴェーション能力は、普遍的な人類の文明全体の発展のためには必須である。また個別の文化の衣をまとった個別文明の盛衰にとっても決定的な条件である。そして、現今の状況下においては、負の諸結果についてのフィードバック能力における創造的イノヴェーションこそ、急迫の必要であろう。その一例としては、二酸化炭素の多量の排出による地球の気候の急速な温暖化が問題となっているが、その対策として二酸化炭素を単に集めて密閉貯蓄するなどという消極的対応ではなく、二酸化炭素を分別し、これを原料とする、石油産業にかわる二酸化炭素産業の創出などといった試みであろう。

イノヴェーションがどうして出現するかといえば、それは自然的ないしは人的環境とその変化への適応が大きいのではあるまいか。となると普遍的文明にとっても、文化の衣をまとった個別文明にとっても、人的及び自然的環境への適応能力もまた、必須の能力というべきなのではあるまいか。

エピローグ　現代文明と日本

漢字文化圏の周辺だった過去

今日、我が日本は、明治維新以来の、「西洋に追いつけ、追い越せ」の大目標をすでに達成した。そして、米国に次ぐ世界第二位の経済大国の地位は、中国に奪われたものの、依然として世界第三位の経済大国として、かつて「追いつけ、追い越せ」の目標であった英国やドイツに対してさえ、上位を保っている。しかし、その日本も、二〇世紀末以来、経済成長の速度も落ち込み、停滞をかこっている。そしてさらに、国民の老齢化と、少子化と人口減少の危機にまで直面している。そのためか、今日の我が国では、日本の将来について、ひいては人類の文明についての悲観論が論ぜられている。

我が日本の文明と文化の来し方をふりかえると、日本は、無文字の状態から漢字と漢文と漢語語彙を受容することを通じて、中国が源泉となって生み出された漢字世界に、参入することとなった。その点では、太古から今日まで存続し、今もなお世界の五大文化圏としての五大文字圏の一つである、漢字圏の周辺に日本は位置する。サミュエル・ハンチントンがその著書『文明の衝突』で、日本を中国と並ぶ独立の文明の一つに数えたのは、明治維新以来の日本のめざましい発展と中国の著しい停滞に幻惑されたためで、正鵠（せいこく）を得ないであろう。

たしかに、日本は科挙制度を受容せず、母語としての日本語を保ち、平仮名と片仮名という二種の独自の表音文字を創り出し、中国式の押韻による漢詩ではなく、七五調による独自の詩形を生み出した。そして、今日のいわゆる中国服、旗袍ではなく、前あわせで帯を締める和服をまとってきた。科挙を受容した大陸部の朝鮮半島とヴェトナムとは、その点では異なる。人名まで中国化した点でも、朝鮮半島、ヴェトナムは日本と異なる。

しかし、文字については、漢字を基調としながら独自の文字を生み出した点では、朝鮮半島でもハングルが、ヴェトナムでもチュノムが創り出されている。押韻式の漢詩と並んで、母語による独自の詩をもつ点でも、日本と異ならない。そして、朝鮮半島でもヴェトナムでも、伝統服は前あわせで帯を締める。この伝統服は、日本と同様、満洲人の清朝の支配下、満洲服を受容せざるをえぬこととなる前の中国の伝統服の流れをついでいるのである。

そして、朝鮮半島ではハングル化、ヴェトナムではラテン文字化が進められたのに対し、我が国では、依然として漢字仮名交じり文が存在するものの、三ヵ国ともに語彙としては、おそらく「国語」の語彙の六〜七割に及ぶ漢語を保っているのである。料理も日本料理だけでなく、朝鮮半島でもヴェトナムでも、中国料理とは異なる料理を創り出したが、食の作法では、これも中国起源の箸食を保っているのである。

これらをみれば、我が日本も、いかに一時は「西洋化」による「近代化」をいち早く進めたことによって、中国をしのいだとはいえ、中国の台頭めざましい現今、日本は漢字圏の周辺文化圏といえるであろう。日本を礼賛する最近の反中国論は、一時期、追い抜いたかにみえた日中のバランスが、中国優位に傾きつつある状況への焦りの表出に過ぎないのではあるまいか。

日本文化の発信を

とはいえ、我が日本は、とりわけ外的世界にかかわる文明の多くの分野で比較優位を得た近代西欧のモデルを受容して、「西洋化」による「近代化」を強力に推し進めた。経済力において唯一のグローバル・システムのかつては覇権国家であった英国を追い抜き、現今の覇権国家である米国にさえ一時は肉迫しさえした。このような近代西欧モデルの受容による「西洋化」としての「近代化」を、非西欧諸世界のどの国よりも迅速に遂行したにもかかわらず、日本独自の伝統文化の多くを保つことに成功したのも事実である。

人びとの出会いの儀礼についても、アラビア文字世界の世界帝国的存在であったオスマン帝国の後身であるトルコにおいても、「西洋」式の握手が定着してしまったのに対し、日本では伝統的な「おじぎ」を保っている。いかに通常の生活では「洋装」をまとっていようと、儀礼的正装として、またくつろぎ着として和服を保っている。そして、いかに「洋風」の食物や料理が流入しようと、和式の食事も確たる地位を保ち、とりわけ海外にあっては、和食を切望するのである。

グローバル化のなかで、異文化の人びとの異文化への感受性が拡大し、我が日本の伝統的な文化が再評価され、多くの観光客を引き寄せつつある。さらには、すき焼き、寿司といった和食、はては日本酒までが海外に進出しつつある。他方では、近代西欧モデルの文化の受容も進展し、西欧の著名な音楽祭、バレエ・コンクール等々で、当の西欧人に伍して、グランプリを獲得し、著名バレエ団のプリマ・バレリーナさえ勝ち取るに至っているのである。また国産スコッチ・ウィスキーも、国際大会で金賞を獲得さえしている。

このような状況を見るかぎり、少なくとも文化の領域においては、決して悲観にはあたらない。しかしこれまで、モデルに「追いつけ、追い越せ」に終始したために、自ら発信し、アピールすることを十分に学んでこなかった。今後は、消極的受容から、積極的発信の姿勢を打ち出していくべきであろう。もちろんそこには言語の壁がある。ただそれも古典から近代までの日本文学作品さらに人文学、社会科学の独自の成果の外国語への翻訳を進め、発信していくことで克服しうるであろう。翻訳は最良の自己紹介となりうるのである。

「異才」を拾い上げる人材育成

そのことは、科学技術、そして経営組織についてもいえる。こうした分野においても、明治維新以来、日本はもっぱら近代西欧モデルを対象に「追いつけ、追い越せ」に終始しがちであった。しかし、今や全般的にほぼ欧米諸国と並び、最先端を争うにいたっている。そのことは、科学の諸分野でのノーベル賞受賞者の輩出からも明らかである。ただ、そうなってみると、もはや「追いつけ、追い越せ」ではなく、自らが先頭に出て、「追いつけ、追い越せ」の目標となる気構えが必要なのであるが、有史以来、二〇〇〇年近く中国を師匠とし、この一五〇年ばかりは近代西欧を師匠として「追いつけ、追い越せ」に終始してきたこともあって、先頭を切る人材の養成と登用のシステムを抜本的に考え直すことが必要なのではあるまいか。

そのような人材を養成するためには、まずは、人材候補の選択について、新たな視点を付け加えることが必要であろう。これまでの日本の「人材」観は、やはり主として「受容」と「模倣」と「改善」とその結果の維持・運営の能力をもつか否かに限られがちであった。たしかに、このような能力をもつ人材を大量に養成できてきたことにより、「追いつけ、追い越せ」に成功しえたのである。そしてこのようなタイプの人材を大量に確保しつづけることは、今後も必要不可欠である。

しかし、このような人材は、どちらかといえば、ルーティンをこなすことに適した人材である。「東京大学法学部卒のエリート」などというのは、おおむねこのタイプなのである。たしかにそれはそれで大いに有用である。ただ、「追いつけ、追い越せ」ではなく、「追いかけられる」最先端のモデルを創り出していくためには、ルーティン型人材に加えて、創造的人材をも育てなくてはならない。そのためには、「秀才」だけでなく、「異才」も拾い上げうる「人材観」と「人材養成システム」を創り出していくことが必要であろう。

かの「天才」アインシュタインは、好きなことしかやらず、家庭教師としてついた大学生から、まじめに勉強せず、わけのわからぬことをいうというので、「のらくら神父さん」のレッテルを貼られ、ドイツの高等学校卒業・大学入学資格のための試験アビトゥーアにも合格できなかったという。しかし、父君が聡明で「それなら」というので、アビトゥーア資格を要求されないスイスの名門大学チューリッヒ工科大学を受験させたという。ここでもまったく不出来の科目も多かった。しかし、数学と物理学の出来が、答えが出ているどころではなく解法も採点の先生方が驚倒するほど鮮やかであったために入学を許されたという。おかげで「ノーベル賞のアインシュタイン博士」が生まれえたのである。

アインシュタインが、もし我が国に生まれていたなら、そもそも幼稚園か小学校の段階で「変な子」というので排除されてしまって、「お受験競争」の敗者となってしまっていたことであろう。

このためであろう。実際、世界的に際立った「天才」が日本からほとんど出ていないのは、「追いつけ、追い越せ」の課題はすでに達成し、「追いかけられる」最先端のモデルをめざすとなれば、従来型のルーティン型秀才はもちろん必要だが、「異才」を拾い上げ育て上げる「視点」をもつことが必須であろう。ただ、そのためには、「異才の卵」を「異才の卵」として評価し、「異才」に育て上げうる教師が必要なのである。

我が日本の生んだ稀少極まる「天才」の南方熊楠（みなかたくまぐす）も、後の第一高等学校、今日の東京大学教養学部にあたる大学予備門に入ったものの、数学の試験で落第して中退し、結局どこの大学も出られなかった。後に、大英博物館で多年にわたり膨大な書物を読み漁るチャンスを得られなかったら、天才的博物学者として世に知られることもなかったであろう。こうみてくると、「異才」の養成登用システムの創成ははなはだ困難にみえる。それでも、もはや「追いつけ、追い越せ」ではなく、「追いつかれる」モデルとならねばならぬ位置にたっているとしっかり自覚しつづければ、不可能ではないのではあるまいか。

フィードバックとイノヴェーション

いま必要なのは、この二～三世紀間、世界の先頭を切ってきた近代西欧の文明について、その利害得失をもう一度、根本的に見直してみることかもしれない。たしかに近代西欧の主導してきた「近代文明」は、とりわけ外的世界にかかわる部分で巨大な成果を挙げてきた。しかし、それは、もっぱら「行け行けドンドン」型の前進のみを主眼とする文明の面が強く、その過程及び結末で生ずる不都合なものには目もくれぬ傾向があった。その結果として、原子力は開発したものの広島、長崎の大惨禍を生み出し、チェルノブイリや福島の原発事故を引き起こした。エネルギーの無制限の浪費のために、地球温暖化の危機的進行をもたらしたともいわれる。人工知能AIの発達は、人間から労働の機会の多くを奪ってしまうであろうとさえいわれている。このようななか、文明の未来への暗い展望が語られ、文明的には発達したものの非人間化したディストピアの物語がつづられつつある。文明の現況と未来についての悲観論が、支配的潮流となりつつあるかにみえる。

しかし、ここで私の文明の定義と文明についての言説に立ち戻れば、これまでの文明は前進のみをめざしがちな「行け行けドンドン」型の文明であったが、これは文明の発展の第一段階というべきものだった。発展の結果について不都合なものを極力予防し、不都合な結果が出現すれば、これに迅速に対処しうる能力を高め、行き過ぎに歯止めをかけるフィードバック機能が十全に備わったとき、文明は第二段階に入ったといえるのではないか、ということを論じてきた。こういう文明観に立てば、現今の悲観的文明観はあくまで第一段階のまだ未熟な文明をめぐってのものであり、ここで努めるべきは、文明の行き過ぎとその不都合な諸結果を防止し、生じたときはこれに迅速的確に対処するフィードバック・システムを創り出していくことではあるまいか。そして、それは、前例のない試みであるから、フィードバック・システムを創り上げていくためには、「模倣」や「改善」ではなく、創造的イノヴェーションを工夫することが、必須となろう。そして、この試みが十全に成し遂げられれば、とりあえずは、前進とその結果に対するフィードバックのバランスのとれた文明の第三段階に到達しうるのではあるまいか。

このような発想は現今、必ずしも主流ではないかもしれない。しかし、もし、科学技術水準においては、もはや「西洋」にほとんど追いついた我が日本で、文明の第二段階をめざす営為が鋭意推し進められれば、もはや、何か他者をモデルとして模倣し、改善するのではなく、自らが文明の先頭に立って、模倣される側に史上はじめて立ちうるのではなかろうか。そうなれば、人類文明全般への悲観論の解消に資するのみならず、日本の将来についても、明るい展望を開きうるのではなかろうか。

いずれにせよ、我々は、漠然とした前提を捨てて、人間の「文明」と「文化」について徹底的に考えを巡らすべき時に来ていることは確かなのではあるまいか。

N.D.C.209　252p　18cm
ISBN978-4-06-520147-3

講談社現代新書　2578

文字世界で読む文明論　比較人類史七つの視点

二〇二〇年七月二〇日第一刷発行

著者　鈴木董　©Tadashi Suzuki 2020

発行者　渡瀬昌彦

発行所　株式会社講談社
東京都文京区音羽二丁目一二─二一　郵便番号一一二─八〇〇一

電話　〇三─五三九五─三五二一　編集（現代新書）
〇三─五三九五─四四一五　販売
〇三─五三九五─三六一五　業務

装幀者　中島英樹

印刷所　豊国印刷株式会社

製本所　株式会社国宝社

本文データ制作　講談社デジタル製作

定価はカバーに表示してあります　Printed in Japan

「講談社現代新書」の刊行にあたって

教養は万人が身をもって養い創造すべきものであって、一部の専門家の占有物として、ただ一方的に人々の手もとに配布され伝達されうるものではありません。

しかし、不幸にしてわが国の現状では、教養の重要な養いとなるべき書物は、ほとんど講壇からの天下りや単なる解説に終始し、知識技術を真剣に希求する青少年・学生・一般民衆の根本的な疑問や興味は、けっして十分に答えられ、解きほぐされ、手引きされることがありません。万人の内奥から発した真正の教養への芽ばえが、こうして放置され、むなしく滅びさる運命にゆだねられているのです。

このことは、中・高校だけで教育をおわる人々の成長をはばんでいるだけでなく、大学に進んだり、インテリと目されたりする人々の精神力の健康さえもむしばみ、わが国の文化の実質をまことに脆弱なものにしています。単なる博識以上の根強い思索力・判断力、および確かな技術にささえられた教養を必要とする日本の将来にとって、これは真剣に憂慮されなければならない事態であるといわなければなりません。

わたしたちの「講談社現代新書」は、この事態の克服を意図して計画されたものです。これによってわたしたちは、講壇からの天下りでもなく、単なる解説書でもない、もっぱら万人の魂に生ずる初発的かつ根本的な問題をとらえ、掘り起こし、手引きし、しかも最新の知識への展望を万人に確立させる書物を、新しく世の中に送り出したいと念願しています。

わたしたちは、創業以来民衆を対象とする啓蒙の仕事に専心してきた講談社にとって、これこそもっともふさわしい課題であり、伝統ある出版社としての義務でもあると考えているのです。

一九六四年四月　野間省一

世界史I

世界史Ⅱ